# Poemas

de

# Amor

# Poemas
## de
# Amor

Selección y repertorio
de
OMAR CERASUOLO

 CORREGIDOR

Diseño de tapa:
Elías Rosado

© Ediciones Corregidor, 2004
Rodríguez Peña 452 (C1020ADJ) Bs. As.
Web site: www.corregidor.com
e-mail: corregidor@corregidor.com
Hecho el depósito que marca la ley 11.723
I.S.B.N.: 950-05-0906-7
Impreso en Buenos Aires - Argentina

*Para
Julieta Capuleto
y Romeo Montesco
porque tuvieron
el poder de
dulcificar nuestras
amarguras y
poetizar nuestras
miserias
y para
todos aquellos que
aman a la poesía.*

OMAR CERASUOLO

Este es un trabajo dedicado a todos, pero preferentemente a todos aquellos que, jóvenes de corazón, aún no están corrompidos, ni adulterados, ni contaminados, por el aturdido ruido del aburrimiento. Es un trabajo para ver, para tocar y para escuchar con el corazón. Es una invitación a sentir y a tomar el sabor, de cuanto nos sucede cada vez que esa palabra mágica llamada amor enciende en nosotros y en nuestras almas, su llama inagotable.

Es una idea, pensada en una manera de mirar que de pronto es descubierta, mirando al mundo por otros ojos.

Dejando de ser de uno para ser de otros, de todos, o de alguien.

Sintiéndose sencillamente abrumado por no poder hacer otra cosa, más que amar.

No creo necesario explicar, que lo que este trabajo encierra, no es nada más ni nada menos, que la idea romántica que nos habla de la necesidad de sentir que "uno habita la cabeza del otro, de que uno tiene quien lo piense".

Porque sabemos que "Por más arraigada que esté una pareja, la soledad, está siempre al acecho".

Si sólo nos atreviéramos a soñar, el mundo increíble se haría realidad.

Es más, siempre fue y será así.

Gracias a todos los poetas que entregaron sus versos, para que mi voz los eche a andar.

OMAR CERASUOLO

# LA PREEMINENCIA DEL AMOR

EL NUEVO TESTAMENTO - CARTAS PAULINAS
PRIMERA CARTA A LOS CORINTIOS
1 Corintios 13.1 a 1 Corintios 13.13

# 13

[1] Aunque yo hablara todas las lenguas de los hombres y de los ángeles, si no tengo amor, soy como una campana que resuena o un platillo que retiñe. [2] Aunque tuviera el don de la profecía y conociera todos los misterios y toda la ciencia, aunque tuviera toda la fe, una fe capaz de trasladar montañas, si no tengo amor, no soy nada. [3] Aunque repartiera todos mis bienes para alimentar a los pobres y entregara mi cuerpo a las llamas, si no tengo amor, no me sirve para nada.

[4] El amor es paciente, es servicial; el amor no es envidioso, no hace alarde, no se envanece, [5] no procede con bajeza, no busca su propio interés, no se irrita, no tiene en cuenta el mal recibido, [6] no se alegra de la injusticia, sino que se regocija con la verdad. [7] El amor todo lo disculpa, todo lo cree, todo lo espera, todo lo soporta.

[8] El amor no pasará jamás. Las profecías acabarán, el don de lenguas terminará, la ciencia desaparecerá; [9] porque nuestra ciencia es imperfecta y nuestras profecías, limitadas. [10] Cuando llegue lo que es perfecto, cesará lo que es imperfecto. [11] Mientras yo era niño, hablaba como un niño, sentía como un niño, razonaba como un niño, [12] pero cuando me hice hombre, dejé a un lado las cosas de niño. Ahora vemos como en un espejo, confusa-

mente; después veremos cara a cara. Ahora conozco todo imperfectamente; después conoceré como Dios me conoce a mí. [13] En una palabra, ahora existen tres cosas: la fe, la esperanza y el amor, pero la más grande de todas es el amor.

# NOCTURNO

Manuel ACUÑA
(Mexicano, 1849-1873)

Pues bien, yo necesito
decirte que te adoro,
decirte que te quiero
con todo el corazón;
que es mucho lo que sufro
y mucho lo que lloro,
que ya no puedo tanto,
y al grito que te imploro,
te imploro y te hablo en nombre
de mi última ilusión.

Yo quiero que tú sepas
que ya hace muchos días
estoy enfermo y pálido
de tanto no dormir;
que ya se han muerto todas
las esperanzas mías,
que están mis noches negras,
tan negras y sombrías,
que ya no sé ni en dónde
se alzaba el porvenir.

De noche, cuando pongo
mis sienes en la almohada
y hacia otro mundo quiero
mi espíritu volver,
camino mucho, mucho,
y al fin de la jornada
las formas de mi madre
se pierden en la nada
y tú de nuevo vuelves
en mi alma a aparecer.

Comprendo que tus besos
jamás han de ser míos,
comprendo que en tus ojos
no me he de ver jamás,
y de amor y en mis locos
y ardientes desvaríos
bendigo tus desdenes,
adoro tus desvíos,
y en vez de amarte menos,
te quiero mucho más.

A veces pienso en darte
mi eterna despedida,
borrarte en mis recuerdos
y hundirte en mi pasión;
mas si es en vano todo
y el alma no te olvida,
¿qué quieres tú que yo haga,
pedazo de mi vida,
qué quieres tú que yo haga
con este corazón?

Y luego que ya estaba
concluido tu santuario,
tu lámpara encendida,
tu velo en el altar,
el sol de la mañana
detrás del campanario,
chispeando las antorchas,
humeando el incensario
y abierta allá a lo lejos
la puerta del hogar...

¡Qué hermoso hubiera sido
vivir bajo aquel techo,
los dos unidos siempre
y amándonos los dos;
tú siempre enamorada,
yo siempre satisfecho,
los dos una sola alma,
los dos un solo pecho,
y en medio de nosotros,
mi madre como un Dios!

¡Figúrate qué hermosas
las horas de esa vida!
¡Qué dulce y bello el viaje
por una tierra así!
Y yo soñaba en eso,
mi santa prometida;
y al delirar en eso,
el alma estremecida,
pensaba yo en ser bueno
por ti, no más, por ti.

¡Bien sabe Dios que ése era
mi más hermoso sueño,
mi afán y mi esperanza,
mi dicha y mi placer;
bien sabe Dios que en nada
cifraba yo mi empeño,
sino en amarte mucho
bajo el hogar risueño
que me envolvió en sus besos
cuando me vio nacer!

Esa era mi esperanza...,
mas ya que a sus fulgores
se opone el hondo abismo
que existe entre los dos,
¡adiós, por la vez última,
amor de mis amores,
la luz de mis tinieblas,
la esencia de mis flores,
mi lira de poeta,
mi juventud, adiós!

# EXPLOSIÓN

Delmira AGUSTINI
(Uruguaya, 1886-1914)

¡Sí la vida es amor, bendita sea!
¡Quiero más vida para amar! Hoy siento

que no valen mil años de la idea
lo que un minuto azul de sentimiento.

Mi corazón moría triste y lento,
hoy abre en luz como una flor febea.
¡La vida brota como un mar violento
donde la mano del amor golpea!

Hoy partió hacia la noche triste, fría,
rotas las alas, mi melancolía,
como una vieja mancha de dolor.

En la sombra lejana se deslíe...
¡Mi vida toda canta, besa, ríe!
¡Mi vida toda es una boca en flor!

## LA CITA

Delmira AGUSTINI

En tu alcoba techada de ensueños, haz derroche
de flores y de luces de espíritu; mi alma
calzada de silencio y vestida de calma,
irá a ti por la senda más negra de esta noche.

Apaga las bujías para ver cosas bellas;
cierra todas las puertas para entrar la ilusión;
arranca del Misterio un manojo de estrellas
y enflora como un vaso triunfal tu corazón.

¡Y esperarás sonriendo, y esperarás llorando!...
Cuando llegue mi alma, tal vez reces pensando
que el cielo dulcemente se derrama en tu pecho...

¡Para él, amor divino, ten un diván de calma,
o con el lirio místico que es su arma, mi alma
apagará una a una las rosas de tu lecho!

# RETORNOS DEL AMOR EN MEDIO DEL MAR

Rafael ALBERTI
(Español, 1902-...)

Esplendor mío, amor,
inicial de mi vida,
quiero decirte toda tu belleza,
aquí, en medio del mar, cuando voy en tu busca,
cuando tan sólo puedo compararte
con la hermosura tibia de las olas.
Es tu cabeza un manantial de oro,
una lluvia de espuma dorada que me enciende
y lleva a navegar al fondo de la noche.
Es tu frente la aurora con dos arcos
por los que pasan dulces esos soles
con que sueñan al alba los navíos.
¿Qué decir de tu boca y tus orejas,
de tu cuello y tus hombros si el mar esconde conchas,
corales y jardines sumergidos
que quisiera al soplo
de las alas del sur ser como ellos?

Son tus costados como dos lejanas
bahías en reposo
donde al son de tus brazos sólo canta
el silencio de amor que las rodea.
Triste es hablar, cuando se está distante,
de los golfos de sombra, de las islas
que llaman al marino que los siente
pasar, sin verlos, fuera de su ruta.
Amor mío, tus piernas son dos playas,
dos médanos tendidos que se elevan
con un rumor de juncos si no duermen.
Dame tus pies pequeños para andarte.
Voy por el mar, voy sobre ti, mi vida,
para sentirte todas tus riberas,
sobre tu amor, hacia tu amor, cantando
tu belleza más bella que las olas.

## PASIÓN

"ALMAFUERTE" Pedro Bonifacio PALACIOS
(Argentino, 1854-1917)

Tú tienes, para mí, todo lo bello
que cielo y tierra y corazón abarcan;
la atracción estelar– ¡de esas estrellas
que atraen como tus lágrimas!;

la sinfonía sacra de los seres,
los vientos y los bosques y las aguas,
en el lenguaje mudo de tus ojos
que, mirándome, hablan;

los atrevidos rasgos de las cumbres
que la celeste inmensidad asaltan,
en las gentiles curvas de tu seno...
¡Oh, colina sagrada!

Y el desdeñoso arrastre de las olas
sobre los verdes juncos y las algas,
en el raudo vagar de tu memoria
por mi vida de paria.

Yo tengo, para ti, todo lo noble
que cielos y tierra y corazón abarcan;
el calor de los soles– ¡de los soles
que, como yo, te aman!;

el genio profundo de las ondas
que mueren a tus pies sobre la playa,
en el tapiz purpúreo de mi espíritu
abatido a tus plantas;

la castidad celeste de los besos
de tu madre bendita, en la mañana,
en la caricia augusta con que tierna
te circunda mi alma.

¡Tú tienes, para mí, todo lo bello;
yo tengo, para ti, todo lo que ama;
tú, para mí, la luz que resplandece,
yo, para ti, sus llamas!

# DONDE QUEPA EL AMOR

Ignacio B. ANZOATEGUI (h)
(Argentino, 1935-...)

Te llevo adentro del bolsillo
todas las mañanas
al salir de casa;
todas las tardes
al volver.
Aun cuando parezco desnudo,
cuando parezco no tener bolsillos
estás en el bolsillo de mi corazón.
Y cuando duermo,
en el feliz bolsillo del sueño,
en el territorio de la paz.
Te llevo
donde quepa el amor.

# ESTOY AQUÍ / I

Ignacio B. ANZOATEGUI (h)

Estoy aquí para el recuerdo,
estoy aquí para decir la vida,
estoy aquí contigo desde siempre
por el dolor feliz que nos cobija,
para nombrar el nombre de las cosas

y hacer del canto nuestro
una canción vital de la alegría.

Por el amor que nos convoca
desde un tiempo feliz, de maravilla,
traigo en las manos la luna
recién florecida.

Estoy contigo desde siempre
para acompañarte en la alegría;
para el dolor feliz que alimentamos,
para el feliz dolor que nos cobija.

Y que el amor que ahora nos convoca
dure la vida
de los dos
hasta un tiempo feliz, de maravilla.

## MASI

Ignacio B. ANZOATEGUI (h)

Qué va a pasar conmigo cuando mueras,
qué quedará de mí cuando te vayas;
con quién me abrazaré cuando la pena
recorra las cavernas de mi alma.
Entonces no sabré si la materia
es cosa real o soledad pintada,
o sueño nada más, o nube entera
lo que quede, mi amor, cuando te vayas.

Quedará el tiempo en un reloj de arena
y una valija con mis versos de agua,
y las pinturas que pinté de veras
sólo, mi amor, porque conmigo estabas.

Y qué parte de mí se irá contigo
en el viaje larguísimo del alma.
Qué armas hallaré en los arsenales
para sobrellevar mi circunstancia.

Si estando ahora aquí, luchando juntos,
se mueven dentro mío estos fantasmas,
qué va a pasar conmigo cuando mueras,
que quedará de mí cuando te vayas.

# MONÓLOGO DEL AMOR
# QUE NO QUIERE AMAR

Ignacio B. ANZOATEGUI (h)

Este querer amarte por quererte,
y este miedo de amarte sin amarte,
y este querer perderte por ganarte,
y este querer amarte sin perderte.

Y este ganarte sin saber perderte,
y este perderte sin saber ganarte,
me dan miedo de amarte por amarte
cuando quisiera no querer quererte.

Este miedo de amarte sin ganarte
y este querer ganarte sin perderte
me obligan a perderte sin amarte.

Porque el miedo de amarte y de perderte
y el miedo de quererte y de ganarte
es el miedo de amarte hasta la muerte.

## YO SÉ BIEN QUE OTRA VEZ
## TE QUISE MUCHO...

Enrique BANCHS
(Argentino, 1888-1968)

Yo sé bien que otra vez te quise mucho,
pero hace tanto tiempo, ¡pero tanto!
que del lejano tiempo sólo escucho
dentro de mí, sin causa siempre, el llanto.

Es un sollozo como un ala viva
y una espina en la sombra la apuñala,
¡ira torpe en la mísera cautiva!
y el ala en sangre y traspasada, el ala

se agita siempre en sangre y traspasada.
¿Ha existido ese tiempo? No tal vez...
Pero una cosa es cierta: una mirada

vista en el fondo de una edad pasada,
(sobre las tumbas, sobre mucha nada,
entre las almas) por primera vez.

## MÁS ALLÁ DE LA MUERTE

Federico BARRETO

Es invierno y una noche negra, fría y tempestuosa
en la lúgubre capilla de un asilo monacal
yace el cuerpo inanimado de una joven religiosa,
que agobiada por la pena se murió como una rosa
arrancada de su tallo por el fiero vendaval.

Blanco traje que realza su magnífica belleza
simboliza su inocencia, su bondad y su candor
rosas blancas en capullo le circundan la cabeza,
y parece aquella virgen que muriose de tristeza
una novia desmayada en su tálamo de amor.

El silencio que allí reina es tan sólo interrumpido
por el viento que sacude las vidrieras al pasar,
por el viento y otras veces por el tétrico graznido
de los búhos que allí moran, que han formado allí su nido
y que atisban lo que pasa por la grieta de un altar.

Mil rumores misteriosos, mil incógnitos sonidos
llegan vagos y confusos a la casa del Señor
es un lúgubre concierto, de sollozos y gemidos

de susurros y plegarias, de mil ecos doloridos
que acongojan y estremecen, que dan pena y dan horror.

Cuatro cirios iluminan con fulgores inseguros,
el cadáver de aquel ángel de belleza y de virtud
y las sombras que proyectan esos cirios en los muros
van y vienen en silencio por los ámbitos oscuros
como un coro de fantasmas circundando un ataúd.

Dan las doce lentamente en el viejo campanario
y al vibrar en la capilla la hora tétrica y fatal
sale un monje de albo traje por la puerta del sagrario
atraviesa a pasos lentos el recinto solitario,
y se postra de rodillas ante el lecho funeral.

Se diría que le agobia todo un mundo de tristezas
que le mata el desconsuelo, que se muere de aflicción.
¿Por qué crispa sus dos manos? ¿Por qué inclina la cabeza?
¿Por qué tiembla? ¿Por qué gime, por qué llora, por qué
[reza?
¡hay misterios que estremecen hasta el fondo del corazón!

De repente se alza el monje del helado y duro suelo
a la muerte se aproxima y la llama a media voz,
y al ver que ella sigue muda, sigue fría como el hielo
la acaricia con ternura, la mirada eleva al cielo
y murmura entre los dientes "Qué justicia Santo Dios"

Luego clava sus pupilas en la pálida doncella
la contempla largo rato con recóndita piedad
y tomando entre sus manos una mano de las de ella
la aproxima hasta sus labios, con un ósculo la sella
y habla y gime y llora a gritos como un niño en la orfandad.

¡Dora! exclama: ¡Dora mía! te estoy viendo muda y yerta;
y no creo que la muerte haya osado herirte a ti
¡muerta tú!... ¿será posible? no, mil veces no estás muerta,
duermes... sueñas, estás viva, por piedad mi amor despierta
no te mueras, no me dejes, vive, vive para mí.

Yo era huérfano, y estaba solo y triste en este suelo
mas Dios quiso que te hallara y no tuve penas ya,
¿lo oyes Dora? ¡Dios lo quiso! piedad tuvo de mi duelo
y para ángel de mi guarda te envió un día desde el cielo,
tú no puedes pues morirte, Dios no quita lo que da.

Así envuelta en blancos tules, coronada así de flores
ofrecí llevarte al templo y jurarte esclavitud,
¡sueño efímero! tus padres por matar nuestros amores
te encerraron en este antro de recónditos dolores
y hoy que vengo a buscarte te hallo en un ataúd.

Pobre novia de mis sueños, pobre tórtola sin nido,
virgen mártir que viviste con el alma rota en dos
¿por qué callas si te llamo? ¿por qué no oyes mi gemido?
¿te cansaste de esperarme y a los cielos has partido?
vuelve... vuelve te lo ruego, yo te quiero como a Dios.

Calla el monje, mas de pronto como un loco que se excita
toma en brazos aquel ángel que en la vida tanto amó
y besándola en la boca "¡Vuelve en ti por Dios le grita!"
toma mi alma, en este beso, resucita, resucita...
toma mi alma, toma mi alma, vive tú aunque muera yo.

Un prodigio se ve entonces, ella agita sus despojos
como herida de repente, por el dardo del dolor

en sus pálidas mejillas, aparecen tintes rojos,
quiere hablar, mueve los labios; ya despierta, abre los ojos
todo alivia, hasta la muerte a los besos del amor.

Una aurora clara y bella a la noche ha sucedido
y en el templo que el sol baña y empieza a iluminar
yace el monje de albo traje junto al féretro tendido
y los búhos que allí moran, que han formado allí su nido
lo contemplan con asombro por la grieta de un altar.

¡Está muerto! y se diría que perdura en su hondo duelo
que repite entre los dientes: "Qué justicia Santo Dios"
¡está muerto! lo mataron el dolor y el desconsuelo,
no halló aquí a su prometida y a buscarla se fue al cielo,
¡Ya están juntos! una tumba es la tumba de los dos.

# YO PIENSO EN TI

José BATRES MONTUFAR
(Guatemalteco, 1809-1844)

Yo pienso en ti, tú vives en mi mente,
sola, fija, sin tregua, a toda hora,
aunque tal vez el rostro indiferente
no deje reflejar sobre mi frente
la llama que en silencio me devora.

En mi lóbrega y yerta fantasía
brilla tu imagen apacible y pura,

como el rayo de luz que el sol envía
a través de una bóveda sombría
al roto mármol de una sepultura.

Callado, inerte, en estupor profundo,
mi corazón se embarga y se enajena,
y allá en su centro vibra moribundo
cuando entre el vano estrépito del mundo
la melodía de tu nombre suena.

Sin lucha, sin afán y sin lamento,
sin agitarme en ciego frenesí,
sin proferir un solo, un leve acento,
las largas horas de la noche cuento
y pienso en ti!

## RIMA XXX

Gustavo Adolfo BÉCQUER
(Español, 1836-1870)

Asomaba a sus ojos una lágrima
y a mi labio una frase de perdón;
habló el orgullo y se enjugó su llanto,
y la frase en mis labios expiró.

Yo voy por un camino; ella, por otro;
pero al pensar en nuestro mutuo amor,
yo digo aún: ¿Por qué callé aquel día?
Y ella dirá: ¿Por qué no lloré yo?

# RIMA LIII

Gustavo Adolfo BÉCQUER

Volverán las oscuras golondrinas
en tu balcón sus nidos a colgar,
y otra vez con el ala a tus cristales
    jugando llamarán.

Pero aquellas que el vuelo refrenaban
tu hermosura y mi dicha al contemplar,
aquellas que aprendieron nuestros nombres...
    esas... ¡no volverán!...

Volverán las tupidas madreselvas
de tu jardín las tapias a escalar,
y otra vez a la tarde, aún más hermosas,
    sus flores se abrirán.

Pero aquellas cuajadas de rocío,
cuyas gotas mirábamos temblar
y caer, como lágrimas del día...
    esas... ¡no volverán!...

Volverán del amor en tus oídos
las palabras ardientes a sonar;
tu corazón de su profundo sueño
    tal vez despertará...

Pero mudo, y absorto, y de rodillas,
como se adora a Dios ante su altar,
como yo te he querido..., desengáñate,
    ¡así no te querrán!...

# ME NOMBRAS MARIPOSA...

Jacinto BENAVENTE
(Español, 1866-1954)

Me nombras mariposa y me convida
tu amor a consumirme con su llama;
mas prefiero volar de rama en rama
y alegre perseguir mi alegre vida.

No pienses que detenga la partida.
Bien sé, aunque lo contrario tu amor clama,
que más se sufre donde más se ama;
y más se goza donde más se olvida.

Tu amor me hizo olvidar un amorío,
y otro me hará olvidar tus dulces lazos.
Mientras tenga vigor, triunfar confío.

Mas si cansado de mudar regazos
busco reposo al fin, juro, bien mío,
buscarlo sólo en tus amantes brazos.

## CORAZÓN CORAZA

Mario BENEDETTI
(Uruguayo, 1920-...)

Porque te tengo y no
porque te pienso
porque la noche está de ojos abiertos

30

porque la noche pasa y digo amor
porque has venido a recoger tu imagen
y eres mejor que todas tus imágenes
porque eres linda desde el pie hasta el alma
porque eres buena desde el alma a mí
porque te escondes dulce en el orgullo
pequeña y dulce
corazón coraza

porque eres mía
porque no eres mía
porque te miro y muero
y peor que muero
si no te miro amor
si no te miro

porque tú siempre existes dondequiera
pero existes mejor donde te quiero
porque tu boca es sangre
y tienes frío

tengo que amarte amor
tengo que amarte
aunque esta herida duela como dos
aunque te busque y no te encuentre
y aunque
la noche pase y yo te tenga
y no.

# TE QUIERO

Mario BENEDETTI

Tus manos son mi caricia
mis acordes cotidianos
te quiero porque tus manos
trabajan por la justicia

si te quiero es porque sos
mi amor mi cómplice y todo
y en la calle codo a codo
somos mucho más que dos

tus ojos son mi conjuro
contra la mala jornada
te quiero por tu mirada
que mira y siembra futuro

tu boca que es tuya y mía
tu boca no se equivoca
te quiero porque tu boca
sabe gritar rebeldía

si te quiero es porque sos
mi amor mi cómplice y todo
y en la calle codo a codo
somos mucho más que dos

y por tu rostro sincero
y tu paso vagabundo

y tu llanto por el mundo
porque sos pueblo te quiero

y porque amor no es aureola
ni cándida moraleja
y porque somos pareja
que sabe que no está sola

te quiero en mi paraíso
es decir que en mi país
la gente viva feliz
aunque no tenga permiso

si te quiero es porque sos
mi amor mi cómplice y todo
y en la calle codo a codo
somos mucho más que dos.

## "SOLEA" DEL AMOR DESPRENDIDO

Manuel BENÍTEZ CARRASCO
(Español)

"Mira si soy desprendío
que ayer, al pasar el puente,
tiré tu cariño al río."

Y tú bien sabes por qué
tiré tu cariño al río:
porque era hebilla de esparto
de un cinturón de cuchillos;

porque era anillo de barro,
mal tasao y mal vendío,
y porque era flor sin alma
de un abril en compromiso,
que puso, en zarzas y espinas,
un fingimiento de lirios.
Tiré tu cariño al río,
porque era una planta sucia
dentro de mi huerto limpio.
Tiré tu cariño al agua,
porque era una mancha negra
sobre mi fachada blanca.
Tiré tu cariño al río,
porque era mala cizaña
quitando savia a mi trigo;
y tiré todo tu amor,
porque era muerte en mi carne
y era agonía en mi voz.
Tú fuiste flor de verano,
sol de un beso y luz de un día;
yo te cuidaba en mi mano
y en mi mano te acuñaba,
y tú, por pagarme, herías
la mano que te cuidaba.
Pero al hacerlo, olvidabas
–tal vez por ingenuidad–,
que te di mis sentimientos
no por tus merecimientos
sino por mi voluntad.
Yo no puse en compraventa
mi corazón encendío;
y has de tener muy en cuenta

que mi cariño no fue
ni comprao, ni vendío,
sino que lo regalé.
Porque yo soy desprendío;
por eso te di mi rosa
sin habérmela pedío.
Porque yo soy desprendío,
y doy las cosas sin ver
si se las han merecío.
Por eso te di mi vela,
te di el vino de mi jarro,
las llaves de mi cancela
y el látigo de mi carro.
Ya ves si soy desprendío,
que ayer, al pasar el puente,
tiré tu cariño al río.

# TUS CINCO TORITOS NEGROS

Manuel BENÍTEZ CARRASCO

Contra mis cinco sentíos,
tus cinco toritos negros:
torito negro tus ojos,
torito negro tu pelo,
torito negro tu boca,
torito negro tu beso,
y el más negro de los cinco
tu cuerpo, torito negro.

Barreras puse a mis ojos,
tus ojos me las rompieron.
Barreras puse a mi boca,
tu boca las hizo leño.
Puse mi beso en barreras,
tu beso las prendió fuego.
Barreras puse a mis manos,
las hizo sombra tu pelo.
Y puse barreras duras
de zarzamora a mi cuerpo,
y saltó sobre las zarzas
el tuyo, torito negro.
¡Deja, que no quiero verte!
¡Déjame, que no te quiero!
Y luego monté mis ojos
sobre un caballo de miedo;
tus ojos me perseguían
como dos toritos negros.
Y luego metí mis manos
bajo un embozo de fuego;
tu pelo se me enredaba
igual que un torito negro.
Y luego pegué mi boca
contra la cal de mi encierro;
tu boca estaba acechando
igual que un torito negro.
Y luego mordí mi almohada
para contener mi beso;
tu beso me corneaba
igual que un torito negro.
Y luego arañé mi carne,
de tentación y deseo,

para que no me gritara
que yo te estaba queriendo,
y tu cuerpo encandilado
–mimbre, luna, bronce y fuego–
igual que un torito negro.
¡Deja, que no quiero verte!
¡Déjame, que no te quiero!
El aire del cuarto estaba
temblando con tu recuerdo.
Cien caballos en mis venas,
al galope por mi cuerpo;
y yo, jinete sin rienda,
luchando por contenerlos.
Cien herreros en mi boca,
trabajando con mis besos,
y yo queriendo ser fragua
para poder deshacerlos.
Cien voces en mi garganta
gritándome que te quiero,
y yo, ¡mentira infinita!,
gritando que no te quiero.
Salí a por aire al balcón,
me tropecé con el cielo;
aquel cielo quieto y hondo,
verde, blanco, azul y negro.
Igual que el de aquella noche
de nuestro primer encuentro,
en que me hirieron al paso
tus cinco toritos negros.
Y me acordé de aquel aire
que jugaba con tu pelo
como un niño a quien le gustan

los caracolillos negros.
Y me acordé de aquel rayo
de luna, fino y torero,
que puso dos banderillas
de luz en tus ojos negros.
Y de aquel dolor de labios
que nos quedó de aquel beso,
y de aquel dolor de brazos,
y de aquel dolor de huesos
y de aquella caracola
de amor, que quedó por dentro
como un mar de amor dormido;
"¡que te quiero!, ¡que te quiero!"
y se me escapó la voz...;
grité: "¡Te quiero!, ¡te quiero!"
Y ya no pegué mi boca
contra la cal de mi encierro,
y ya no mordí mi almohada
para contener mi beso,
y ya no arañé mi carne
de tentación y deseo.
Pegué mi boca a tu boca,
junté mi beso a tu beso,
y otra vez aquel dolor
de cintura, brazo y huesos...
pensando en aquella noche
de nuestro primer encuentro.
¡Te quise siempre! ¡Te quise!
¡Te quiero siempre! ¡Te quiero!
Aunque no puedo quererte, ¡te quiero!
Aunque no debo quererte, ¡te quiero!
Aunque en cunas de tu casa

almendros se estén meciendo, ¡te quiero!
Aunque yo tengo dos lirios
que se me cuelgan del cuello, ¡te quiero!
Y aunque ponga mis barreras
de zarzamora y sarmiento
para que nunca la salten
tus cinco toritos negros:
torito negro tus ojos,
torito negro tu pelo,
torito negro tu boca,
torito negro tu beso,
y el más negro de los cinco
tu cuerpo, torito negro.
¡Te quise siempre! ¡Te quise!
¡Te quiero siempre! ¡Te quiero!

## ESTAR ENAMORADO

Francisco Luis BERNÁRDEZ
(Argentino, 1900-1978)

Estar enamorado, amigos, es encontrar
el nombre justo de la vida.
Es dar al fin con la palabra que para hacer
frente a la muerte se precisa.
Es recobrar la llave oculta que abre la cárcel
en que el alma está cautiva.
Es levantarse de la tierra con una fuerza
que reclama desde arriba.
Es respirar el ancho viento que por encima

de la carne se respira.
Es contemplar desde la cumbre de la persona
la razón de las heridas.
Es advertir en unos ojos una mirada
verdadera que nos mira.
Es escuchar en una boca la propia voz
profundamente repetida.
Es sorprender en unas manos ese calor
de la perfecta compañía.
Es sospechar, que, para siempre, la soledad
de nuestra sombra está vencida.
Estar enamorado, amigos, es descubrir
dónde se juntan cuerpo y alma.
Es percibir en el desierto la cristalina
voz de un río que nos llama.
Es ver el mar desde la torre donde ha quedado
prisionera nuestra infancia.
Es apoyar los ojos tristes en un paisaje
de cigüeñas y campanas.
Es ocupar un territorio donde conviven
los perfumes y las armas.
Es dar la ley a cada rosa y al mismo tiempo
recibirla de su espada.
Es confundir el sentimiento con una hoguera
que del pecho se levanta.
Es gobernar la luz del fuego y al mismo tiempo
ser esclavo de la llama.
Es entender la pensativa conversación
del corazón y la distancia.
Es encontrar el derrotero que lleva al reino
de la música sin tasa.
Estar enamorado, amigos, es adueñarse
de las noches y los días.

Es olvidar entre los dedos emocionados
la cabeza distraída.
Es recordar a Garcilaso cuando se siente
la canción de una herrería.
Es ir leyendo lo que escriben en el espacio
las primeras golondrinas.
Es ver la estrella de la tarde por la ventana
de una casa campesina.
Es contemplar un tren que pasa por la montaña
con las luces encendidas.
Es comprender perfectamente que no hay fronteras
entre el sueño y la vigilia.
Es ignorar en qué consiste la diferencia
entre la pena y la alegría.
Es escuchar a medianoche la vagabunda
confesión de la llovizna.
Es divisar en las tinieblas del corazón
una pequeña lucesita.
Estar enamorado amigos, es padecer
espacio y tiempo con dulzura.
Es despertarse una mañana con el secreto
de las flores y las frutas.
Es libertarse de sí mismo y estar unido
con las otras criaturas.
Es no saber si son ajenas o si son propias
las lejanas amarguras.
Es remontar hasta la fuente las aguas turbias
del torrente de la angustia.
Es compartir la luz del mundo y al mismo tiempo
compartir su noche obscura.
Es asombrarse y alegrarse de que la luna
todavía sea luna.

Es comprobar en cuerpo y alma que la tarea
de ser hombre es menos dura.
Es empezar a decir siempre y en adelante
no volver a decir nunca.
Y es además, amigos míos, estar seguro
de tener las manos puras.

# SONETO

Francisco Luis BERNÁRDEZ

Si para recobrar lo recobrado
debí perder primero lo perdido,
si para conseguir lo conseguido
tuve que soportar lo soportado.

Si para estar ahora enamorado
fue menester haber estado herido,
tengo por bien sufrido lo sufrido,
tengo por bien llorado lo llorado.

Porque después de todo he comprobado
que no se goza bien de lo gozado
sino después de haberlo padecido,

Porque después de todo he comprendido
que lo que el árbol tiene de florido
vive de lo que tiene sepultado.

# PLEITO DE AMAR Y QUERER

Andrés Eloy BLANCO
(Venezolano, 1897-1955)

Me muero por preguntarte
si es igual o es diferente
querer y amar, y si es cierto
que yo te amo y tú me quieres.

—Amar y querer se igualan
cuando se ponen parejos
el que quiere y el que ama.

—Pero es que no da lo mismo...
Dicen que el querer se acaba
y el amar es infinito;
amar es hasta la muerte,
y querer, hasta el olvido.

—Dile al que te cuente historias
que el mundo es para querer,
y amar es la misma cosa.

—Querer no es amar. Amando
hay tiempo de amarlo todo:
a Dios, al esposo, al mundo;
tocar el borde y el fondo
y amar al hijo del pueblo
como al hijo del esposo.
—¿Querer es ser para uno
y amar es ser para todos?

—No; amar es amar, y amar
es como amar de dos modos:
a unos como hijos de Dios,
y como a Dios, a uno solo.

—¿Amar y querer? Parece
que amar es lo que abotona
y querer lo que florece.

Dicen que amar no hace daño
donde querer deja huella.

Si querer es con la uña
donde amar es con la yema...

—Querer es lo del deseo
y amar es lo del servicio;
querer puebla los rincones,
amar puebla los caminos;
queriendo se tiene un gozo
y amando se tiene un hijo.

—Amar es con luz prendida;
querer, con luz apagada;
en amar hay más desfile,
y en querer hay más batalla.

—Luego querer no es amar;
querer es guerra con guerra
y amar es guerra con paz...

—Querer no es lo que tú sientes,
querer no es lo que tú piensas;

tu querer de agua tranquila
ni bulle ni arrastra piedras.

Querer no es esa apacible
ternura que no hace huella.

Querer es querer mil veces
en cada vez que se quiera.

Querer es tener la vida
repartida por igual
entre el amor que sentimos
y la plenitud de amar.

Es no dormir por las noches,
es no ver de día el sol,
es amar sin dejar sitio
ni para el amor de Dios.

Es tener el corazón
entre las manos guardado,
y si ella pasa, sentir
que se nos abren las manos.

Es tener un niño preso
y envejecido en la cuna;
querer es brasa que vive
de la propia quemadura.

Es no reír, porque hay algo
de lágrimas en la sonrisa;
es no comer, porque sabe
a corazón la comida.

Es haber amanecido
sin habernos explicado
cómo sin haber dormido
pudimos haber soñado.

—Todo eso es querer y amar,
y amar es más todavía,
porque amar es la alegría
de crearse y de crear.

Es algo como una idea
que inventa lo que se quiere,
porque al quererlo lo crea.

No hay un hombre que supere
a la versión que de ese hombre
da la mujer que lo quiere;
ni existe mujer tan bella,
ni existe mujer tan pura
como la que se figura
el hombre que piensa en ella.

Por eso, al estarte amando,
si con un amor te quiero,
con otro te estoy creando,

y tú, en el querer que sientas,
si con un querer me quieres
con otro querer me inventas.

Pero allí no se detiene
la creación del amor
e inventa un mundo mejor
para el que ni mundo tiene.

Y el amor se vuelve afán
de gritarle al pordiosero:
—Quiero, y porque quiero, quiero
que nadie te quite el pan.

Que nadie te quite el vino,
que no te duela en los pies
la limosna del camino.

Que te alces, alzado y frío
el puño de tu derecho,
prestado en rabia a tu pecho
el amor que hay en el mío.

Del obrero y sus quereres
todo el rescoldo se vea
cuando haga la chimenea
suspirar a los talleres.

Y en la voz del campesino
vaya un poco de mi amor,
como de savia en la flor,
como de agua en el molino.

Y así el amor es caricia
que se nos va de las manos
para servicios humanos
en comisión de justicia.

Amar es querer mejor,
y si le pones medida,
te resulta que el amor
es más ancho que la vida.

Amar es amar de suerte
que al ponerle medidor
te encuentres con que el amor
es más largo que la muerte.

Y en el querer lo estupendo,
y en el amar lo profundo,
es que algo le toque al mundo
de lo que estamos queriendo.

## EL AMENAZADO

Jorge Luis BORGES
(Argentino, 1899-1986)

ES EL AMOR. Tendré que ocultarme o que huir.
Crecen los muros de su cárcel, como en un sueño atroz. La hermosa máscara ha cambiado, pero como siempre es la única. ¿De qué me servirán mis talismanes: el ejercicio de las letras, la vaga erudición, el aprendizaje de las palabras que usó el áspero Norte para cantar sus mares y sus espaldas, la serena amistad, las galerías de la Biblioteca, las cosas comunes, los hábitos, el joven amor de mi madre, la sombra militar de mis muertos, la noche intemporal, el sabor del sueño?
Estar contigo o no estar contigo es la medida de mi tiempo.
Ya el cántaro se quiebra sobre la fuente, ya el hombre se levanta a la voz del ave, ya se han oscurecido los que miran por las ventanas, pero la sombra no ha traído la paz.
Es, ya lo sé, el amor: la ansiedad y el alivio de oír tu voz, la espera y la memoria, el horror de vivir en lo sucesivo.

Es el amor con sus mitologías, con sus pequeñas magias inúti-
les.
Hay una esquina por la que no me atrevo a pasar.
Ya los ejércitos me cercan, las hordas.
(Esta habitación es irreal; ella no la ha visto.)
El nombre de una mujer me delata.
Me duele una mujer en todo el cuerpo.

## CANCIÓN DEL AMOR PROHIBIDO

José Angel BUESA
(Cubano)

Sólo tú y yo sabemos lo que ignora la gente
al cambiar un saludo ceremonioso y frío,
porque nadie sospecha que es falso tu desvío,
ni cuánto amor esconde mi gesto indiferente.

Sólo tú y yo sabemos por qué mi boca miente,
relatando la intriga de un fugaz amorío;
y tú apenas me escuchas y yo no te sonrío...
y aún nos arde en los labios algún beso reciente.

Sólo tú y yo sabemos que existe una simiente
germinando en la sombra de este surco vacío,
porque su flor profunda no se ve, ni se siente.

Y así dos orillas tu corazón y el mío,
pues, aunque las separa la corriente de un río,
por debajo del río se unen secretamente.

# CARTA A USTED

José Angel BUESA

Señora: Según dicen, ya usted tiene otro amante.
Lástima que la prisa nunca sea elegante...
Yo sé que no es frecuente que una mujer hermosa
se resigne a ser viuda sin haber sido esposa,
ni pretendo tampoco discutirle el derecho
de compartir sus penas, sus goces y su lecho;
pero el amor, señora, cuando llega el olvido,
también tiene el derecho de un final distinguido.

Perdón, si es que la hiere mi reproche; perdón,
aunque sé que la herida no es en el corazón...
Y, para perdonarme, piense si hay más despecho
en lo que yo le digo que en lo que usted ha hecho;
pues sepa que una dama, con la espalda desnuda,
sin luto, en una fiesta, puede ser una viuda,
pero no, como tantas, de un difunto señor,
sino, para ella sola, viuda de un gran amor.

Y nuestro amor, ¿recuerda?, fue un amor diferente,
al menos al principio; ya no, naturalmente.
Usted era el crepúsculo a la orilla del mar,
que, según quien lo mire, será hermosa o vulgar.
Usted era la flor, que, según quien la corta,
es algo que no muere o es algo que no importa.
O acaso, cierta noche de amor y de locura,
yo vivía un ensueño..., y usted, una aventura.

Usted juró cien veces ser para siempre mía.
Yo besaba sus labios, pero no lo creía...
Usted sabe –y perdóneme– que en ese juramento
influye demasiado la dirección del viento.
Por eso no me extraña que ya tenga otro amante,
a quien quizá le jure lo mismo en este instante.
Y como usted, señora, ya aprendió a ser infiel,
a mí, así, de repente... me da pena por él.

Sí, es cierto. Alguna noche su puerta estuvo abierta,
y yo, en otra ventana, me olvidé de su puerta;
o una tarde de lluvia se iluminó mi vida
mirándome en los ojos de una desconocida;
y también es posible que mi amor indolente
desdeñara su vaso, bebiendo en la corriente.
Sin embargo, señora, yo, con sed o sin sed,
nunca pensaba en otra si la besaba a usted.

Perdóneme de nuevo si le digo estas cosas,
pero ni los rosales dan solamente rosas;
y no digo estas cosas por usted ni por mí,
sino por los amores que terminan así...
Pero vea, señora, que diferencia había
entre usted, que lloraba, y yo, que sonreía,
pues nuestro amor concluye con finales diversos:
Usted besando a otro; yo, escribiendo estos versos...

# CARTA SIN FECHA

José Angel BUESA

Amigo: Sé que existes, pero ignoro tu nombre.
No lo he sabido nunca ni lo quiero saber.
Pero te llamo amigo para hablar de hombre a hombre,
que es el único modo de hablar de una mujer.

Esa mujer es tuya, pero también es mía.
Si es mas mía que tuya, lo saben ella y Dios.
Sólo sé que hoy me quiere como ayer te quería,
aunque quizá mañana nos olvide a los dos.

Ya ves: ahora es de noche. Yo te llamo mi amigo;
yo, que aprendí a estar solo para quererla más,
y ella, en tu propia almohada, tal vez sueña conmigo;
y tú, que no lo sabes, no la despertarás.

¡Qué importa lo que sueña! Déjala así, dormida.
Yo seré como un sueño sin mañana ni ayer.
Y ella irá de tu brazo para toda la vida,
y abrirá las ventanas en el atardecer.

Quédate tú con ella. Yo seguiré el camino.
Ya es tarde, tengo prisa, y aún hay mucho que andar,
y nunca rompo el vaso donde bebí un buen vino,
ni siembro nada, nunca, cuando voy hacia el mar.

Y pasarán los años favorables o adversos,
y nacerán las rosas que nacen porque sí;
y acaso tú, algún día, leerás estos versos,
sin saber que los hice por ella y para ti...

## POEMA DE LA CULPA

José Angel BUESA

Yo la amé, y era de otro que también la quería.
Perdónala, Señor, porque la culpa es mía.

Después de haber besado sus cabellos de trigo,
nada importa la culpa, pues no importa el castigo.

Fue un pecado quererla, Señor, y, sin embargo,
mis labios están dulces por ese amor amargo.

Ella fue como un agua callada que corría...
Si es culpa tener sed, toda la culpa es mía.

Perdónala, Señor, Tú que le diste a ella
su frescura de lluvia y su esplendor de estrella.

Su alma era transparente como un vaso vacío.
Yo lo llené de amor. Todo el pecado es mío.

Pero ¿cómo no amarla, si Tú hiciste que fuera
turbadora y fragante como la primavera?

¿Cómo no haberla amado, si era como el rocío
sobre la yerba seca y ávida del estío?

Traté de rechazarla, Señor, inútilmente,
como un surco que intenta rechazar la simiente.

Era de otro, Señor. Pero hay cosas sin dueño:
las rosas y los ríos, y el amor y el ensueño.

Y ella me dio su amor como se da una rosa,
como quien lo da todo, dando tan poca cosa...

Una embriaguez extraña nos venció poco a poco.
¡Ella no fue culpable, Señor..., ni yo tampoco!

La culpa es toda tuya, porque la hiciste cobarde
y me diste los ojos para mirarla a ella.

Toda la culpa es tuya, pues me hiciste cobarde
para matar un sueño porque llegaba tarde.

Sí. Nuestra culpa es tuya, si es una culpa amar
y si es culpable un río cuando corre hacia el mar.

Es tan bella, Señor, y tan suave, y tan clara,
que sería un pecado mayor si no la amara.

Y por eso perdóname, Señor, porque es tan bella,
que Tú, que hiciste el agua, y la flor, y la estrella;

Tú, que oyes el lamento de este dolor sin nombre,
¡Tú también la amarías si pudieras ser hombre!

# POEMA DE LA DESPEDIDA

José Angel BUESA

Te digo adiós, y acaso te quiero todavía.
Quizá no he de olvidarte, pero te digo adiós.
No sé si me quisiste... No sé si te quería...
O tal vez nos quisimos demasiado los dos.

Este cariño triste, y apasionado, y loco,
me lo sembré en el alma para quererte a ti.
No sé si te amé mucho... No sé si te amé poco.
Pero sí sé que nunca volveré a amar así.

Me queda tu sonrisa dormida en mi recuerdo,
y el corazón me dice que no te olvidaré;
pero, al quedarme solo, sabiendo que te pierdo,
tal vez empiezo a amarte como jamás te amé.

Te digo adiós, y acaso con esta despedida
mi más hermoso sueño muere dentro de mí...
Pero te digo adiós para toda la vida,
aunque toda la vida siga pensando en ti.

# SONETO DEL DIVINO AMOR

Alfredo R. BUFANO
(Argentino, 1895-1950)

Amor es éste que por ti me abrasa;
amor es éste que hacia ti me impele;
amor es éste que de amor se duele
en amado dolor que nunca pasa.

Amor es éste que se da sin tasa,
como nunca en la vida darse suele;
amor que estoy temiendo que se vuele,
porque sin él la muerte fuera escasa

Amor, y extraño amor, este amor mío,
silencioso y profundo como un río,
que corre interminable y caudaloso.

Amor que nada pide y nada espera;
amor que es como un lago sin ribera
bajo un cielo piadoso.

# RENUNCIAMIENTO

Juan BURGHI
(Uruguayo)

Si de nuestro dolor somos los dueños,
nadie podrá impedir que yo destruya
mi corazón, para la dicha tuya,
y sacrifique los más caros sueños.

Si de lo nuestro es el dolor la esencia,
tanto más propio cuanto más profundo,
para que tú no sufras ni un segundo
yo he de sufrir por toda mi existencia.

Si el dolor que me hiere es sólo mío,
puedo darlo a mi antojo y mi albedrío,
porque tú logres ser feliz, Amada.

Que el verdadero amor es darlo todo
por el amor en sí... y dar de modo
tan simple, cual si no se diera nada.

# AMAR Y QUERER

Ramón de CAMPOAMOR
(Español, 1817-1901)

A la infiel más infiel de las hermosas
un hombre la quería y yo la amaba;
y ella un tiempo a los dos nos encantaba
con la miel de sus frases engañosas.

Mientras él, con sus flores venenosas,
queriéndola, su aliento emponzoñaba,
yo de ella ante los pies, que idolatraba,
acabadas de abrir echaba rosas.

De su favor ya vano el aire arrecia;
mintió a los dos y sufrirá el castigo
que uno la da por vil, y otro por necia.

No hallará paz con él, ni bien conmigo;
él que sólo la quiso, la desprecia;
yo, que tanto la amaba, la maldigo.

# ¡QUIEN SUPIERA ESCRIBIR!

Ramón de CAMPOAMOR

## I

—Escribidme una carta, señor cura.
　　—Ya sé para quién es.
—¿Sabéis quién es porque una noche oscura
　　nos visteis juntos? —Pues...
—¡Perdonad!, mas... —No extraño ese tropiezo.
　　La noche..., la ocasión...
Dadme pluma y papel. Gracias. Empiezo:
　　Mi querido Ramón:
—¿Querido? ... Pero, en fin, ya lo habéis puesto...
　　—Si no queréis... —¡Sí, sí!
—¡Qué triste estoy! ¿No es eso? —Por supuesto.
　　—¡Qué triste estoy sin ti!
Una congoja, al empezar, me viene...
　　—¿Cómo sabéis mi mal?
—Para un viejo, una niña siempre tiene
　　el pecho de cristal.
¿Qué es sin ti el mundo? Un valle de amargura.
　　¿Y contigo? Un edén.
—Haced la letra clara, señor cura;
　　que lo entienda eso bien.
—El beso aquél que de marchar a punto
　　te di... —¿Cómo sabéis?...
—Cuando se va y se viene, y se está junto,
　　siempre... No os afrentéis.
Y si volver tu afecto no procura,
　　tanto me harás sufrir...

—¿Sufrir y nada más? No, señor cura.
¡Qué me voy a morir!
—¿Morir? ¿Sabéis que es ofender al cielo?...
—Pues sí, señor. ¡Morir!
—Yo no pongo morir. —¡Qué hombre de hielo!
¡Quien supiera escribir!

## II

—¡Señor rector, señor rector!, en vano
me queréis complacer,
si no encarnan los signos de la mano
todo el ser de mi ser.
Escribidle, por Dios, que el alma mía
ya en mí no quiere estar:
que la pena no me ahoga cada día...
porque puedo llorar.
Que mis labios, las rosas de su aliento,
no se saben abrir;
que olvidan de la risa el movimiento
a fuerza de sentir.
Que mis ojos, que él tiene por tan bellos,
cargados con mi afán,
como no tienen quién se mire en ellos,
cerrados siempre están.
Que es, de cuantos tormentos he sufrido,
la ausencia el más atroz;
que es un perpetuo sueño de mi oído
el eco de su voz...
Que, siendo por su causa, el alma mía
¡goza tanto en sufrir!...

Dios mío, ¡cuántas cosas le diría
si supiera escribir!...


III
*Epílogo*

—Pues, señor, ¡bravo amor! Copio y concluyo:
A don Ramón... En fin,
que es inútil saber para esto, arguyo,
ni el griego ni el latín.


# CANCIÓN DEL PRIMER AMOR

Arturo CAPDEVILA
(Argentino, 1889-1967)


¡Ah, que gloria! Vino de pronto, traviesa,
la fresca chiquilla de la edad jovial:
las mejillas, rosas; la boquita, fresca,
y la muy querida me tocó el cristal.

Yo seguí con ella camino del huerto.
¡Oh, la primavera bajo el huerto en flor!
Yo seguí con ella, soñando despierto...
Y no fue más que esto mi primer amor.

# EPIGRAMAS

Ernesto CARDENAL
(Nicaragüense, 1925-...)

Te doy, Claudia, estos versos, porque tú eres su dueña.
Los he escrito sencillos para que tú los entiendas.
Son para ti solamente, pero si a ti no te interesan,
un día se divulgarán tal vez por toda Hispanoamérica...
Y si el amor que los dictó, tú también lo desprecias,
otras soñarán con este amor que no fue para ellas.
Y tal vez verás, Claudia, que estos poemas,
(escritos para conquistarte a ti) despiertan
en otras parejas enamoradas que los lean
los besos que en ti no despertó el poeta.

*

Cuídate, Claudia, cuando estés conmigo,
porque el gesto más leve, cualquier palabra, un suspiro
de Claudia, el menor descuido,
tal vez un día lo examinen eruditos, ·
y este baile de Claudia se recuerde por siglos.

Claudia, ya te aviso.

*

Al perderte yo a ti tú y yo hemos perdido:
yo porque tú eras lo que yo más amaba
y tú porque yo era el que te amaba más.

Pero de nosotros dos tú pierdes más que yo:
porque yo podré amar a otras como te amaba a ti
pero a ti no te amarán como te amaba yo.

*

Muchachas que algún día leáis emocionadas estos versos
y soñéis con un poeta:
sabed que yo los hice para una como vosotras
y que fue en vano.

## TU SECRETO

Evaristo CARRIEGO
(Argentino, 1883-1912)

¡De todo te olvidas! Anoche dejaste
aquí sobre el piano, que ya jamás tocas,
un poco de tu alma de muchacha enferma:
un libro, vedado, de tiernas memorias.

Íntimas memorias. Yo lo abrí al descuido,
y supe, sonriendo, tu pena más honda,
el dulce secreto que no diré a nadie:
a nadie interesa saber que me nombras.

...Ven, llévate el libro, distraída, llena
de luz y de ensueño. Romántica loca...
¡Dejar tus amores ahí, sobre el piano!

...¡De todo te olvidas, cabeza de novia!

# TEORÍA DE TUS OJOS

Atilio Jorge CASTELPOGGI
(Argentino, 1919-...)

Los puertos de tus ojos buscándome en el viento.
Las sombras de tus ojos sonando en mi mirada.
Los pactos de tus ojos besándome en mis ojos.

¿Escuchas ya mi nombre llamándote en la noche?
Cascadas de tu risa agitan las campanas.
Las horas del olvido no llegan a mis ojos.
El aire es un reloj que siempre dice algo.
Las voces de tus ojos pegándome a tus ojos.

Empieza el alma a descarnar sus lágrimas.
El puente del otoño se carga de presagios.
¿Es caso este otoño un símbolo del tiempo?
¿Tu ausencia está fijada al borde de las hojas?

Empieza a sollozar el día su naufragio.
Ha llegado el adiós como un grito en los ojos.
Entre los árboles se sienten los crepúsculos
con sus hembras distantes.
La tempestad del llanto comienza a ser relato.

Entonces ya no hay nada
sino la forma exacta que crece en tu mirada.
El mundo que levanta el mundo de tus ojos
mirando hacia mis ojos.
La boca de tus ojos mordiéndome el deseo

y la aventura nueva
con su nuevo misterio.

El canto de tus ojos.
La lluvia de tus ojos.
La bruma de tus ojos.
El pueblo de tus ojos mezclándose a mi sangre.
Los ojos de tus ojos metiéndose en mis ojos.
Después, sucede siempre, que sobran las palabras.

# POEMA

Julio CORTÁZAR
(Belga-Argentino, 1914-1984)

Te amo por ceja, por cabello, te debato en
corredores blanquísimos donde se juegan las
fuentes de la luz,
te discuto a cada nombre, te arranco con
delicadeza de cicatriz,

voy poniéndote en el pelo cenizas de relámpago
y cintas que dormían en la lluvia.
No quiero que tengas una forma, que seas
precisamente lo que viene detrás de tu
mano;

porque el agua, considera el agua, y los leones
cuando se disuelven en el azúcar de la
fábula,
y los gestos, esa arquitectura de la nada,

encendiendo las lámparas a mitad del
encuentro.
Toda mañana es la pizarra donde te invento y
te dibujo.

pronto a borrarte, así no eres, ni tampoco con
ese pelo lacio, esa sonrisa.
Busco tu suma, el borde de la copa donde el
vino es también la luna y el espejo,

busco esa línea que hace temblar a un hombre
en una galería de museo.
Además te quiero, y hace tiempo y frío.

## SONATINA

Rubén DARÍO
(Nicaragüense, 1867-1916)

La princesa está triste... ¿Qué tendrá la princesa?
Los suspiros se escapan de su boca de fresa,
que ha perdido la risa, que ha perdido el color.
La princesa está pálida en su silla de oro,
está mudo el teclado de su clave sonoro
y en un vaso, olvidada, se desmaya una flor.

El jardín puebla el triunfo de los pavos reales.
Parlanchina, la dueña dice cosas banales,
y vestido de rojo piruetea el bufón.

La princesa no ríe, la princesa no siente;
la princesa persigue por el cielo de Oriente
la libélula vaga de una vaga ilusión.

¿Piensa acaso en el príncipe de Golconda o de China,
o en el que ha detenido su carroza argentina
para ver de sus ojos la dulzura de luz,
o en el rey de las islas de las rosas fragantes,
o en el que es soberano de los claros diamantes,
o en el dueño orgulloso de las perlas de Ormuz?

¡Ay!, la pobre princesa de la boca de rosa
quiere ser golondrina, quiere ser mariposa,
tener alas ligeras, bajo el cielo volar;
ir al sol por la escala luminosa de un rayo,
saludar a los lirios con los versos de mayo,
o perderse en el viento sobre el trueno del mar.

Ya no quiere el palacio, ni la rueca de plata,
ni el halcón encantado, ni el bufón escarlata,
ni los cisnes unánimes en el lago de azur.
Y están tristes las flores por la flor de la corte,
los jazmines de Oriente, los nelumbios del Norte,
de Occidente las dalias y las rosas del Sur.

¡Pobrecita princesa de los ojos azules!
Está presa en sus oros, está presa en sus tules,
en la jaula de mármol del palacio real;
el palacio soberbio que vigilan los guardas,
que custodian cien negros con sus cien alabardas,
un lebrel que no duerme y un dragón colosal.

¡Oh, quién fuera hipsipila que dejó la crisálida!
(La princesa está triste. La princesa está pálida.)
¡Oh, visión adorada de oro, rosa y marfil!
¡Quién volara a la tierra donde un príncipe existe
(La princesa está pálida. La princesa está triste.)
más brillante que el alba, más hermoso que abril!

"Calla, calla, princesa –dice el hada madrina–;
en caballo con alas, hacia acá se encamina,
en el cinto la espada y en la mano el azor,
el feliz caballero que te adora sin verte,
y que llega de lejos, vencedor de la Muerte,
a encenderse los labios con su beso de amor."

# AL INGRATO

Sor Juana Inés DE LA CRUZ
(Mexicana, 1651-1695)

Al ingrato que me deja, busco amante,
al que amante me sigue, dejo ingrata;
constante adoro a quien mi amor maltrata;
maltrato a quien mi amor busca constante.

Al que trato de amor hallo diamante,
y soy diamante al que de amor me trata;
triunfante quiero ver al que me mata;
y mato a quien me quiere ver triunfante.

Si a este pago, padece mi deseo;
si ruego a aquél, mi pundonor enojo;
de entrambos modos infeliz me veo;

Pero yo, por mejor partido escojo,
de quien no quiero ser violento empleo,
que de quien no me quiere vil despojo.

## HOMBRES NECIOS

Sor Juana Inés DE LA CRUZ

Hombres necios, que acusáis
a la mujer sin razón,
sin ver que sois la ocasión
de lo mismo que culpáis.

Si con ansia sin igual
solicitáis su desdén,
¿por qué queréis que obren bien
si las incitáis al mal?

Combatís su resistencia,
y luego con gravedad
decís que fue liviandad
lo que hizo la diligencia.

Parecer quiere el denuedo
de vuestro corazón loco

al niño que pone el coco
y luego le tiene miedo.

Queréis con presunción necia
hallar a la que buscáis:
para pretendida, Thais,
y en la posesión, Lucrecia.

¿Qué humor puede ser más raro
que el que, falto de consejo,
él mismo empaña el espejo
y siente que no está claro?

Con el favor y el desdén
tenéis condición igual,
quejándoos si os tratan mal,
burlándoos si os tratan bien.

Opinión ninguna gana,
pues la que más se recata,
si no os admite, es ingrata,
y si os admite, es liviana.

Siempre tan necios andáis,
que, con desigual nivel,
a una culpáis por cruel
y a otra por fácil culpáis.

¿Pues cómo ha de estar templada
la que vuestro amor pretende,
si la que es ingrata ofende
y la que es fácil enfada?

Mas entre el enfado y pena
que vuestro gusto refiere,
bien halla la que no os quiere
y quejaos en hora buena.

Dan vuestras amantes penas
a sus libertades alas,
y después de hacerlas malas
las queréis hallar muy buenas.

¿Cuál mayor culpa ha tenido
en una pasión errada,
la que cae de rogada
o el que ruega de caído?

¿O cuál es más de culpar,
aunque cualquiera mal haga,
la que peca por la paga
o el que paga por pecar?

¿Pues para qué os espantáis
de la culpa que tenéis?...
Queredlas cual las hacéis
o hacedlas cual las buscáis.

# LA HORA ÍNTIMA

Vinicius DE MORAES
(Brasileño, 1914-...)

¿Quién pagará el entierro y las flores
si yo muero de amores?
¿Qué amigo será tan amigo
que en el ataúd esté conmigo?
¿Quién, en medio del funeral,
dirá de mí: –Nunca hizo el mal...?
¿Quién borracho, llorará en voz alta
por no haberme traído nada?
¿Quién deshojará violetas
en mi tumulto de poeta?
¿Quién lanzará tímidamente
al suelo un grano de simiente?
¿Quién mirará, cobarde,
la estrella de la tarde?
¿Quién me dirá palabras mágicas
que hagan empalidecer a los mármoles?
¿Quién, oculta en velos oscuros,
se crucificará por los muros?
¿Quién, con el rostro descompuesto,
sonreirá: Rey muerto, rey puesto...?
¿Cuántas, en presencia del infierno
sentirán dolores de parto?
¿Cuál la que, blanca de recelo,
tocará el botón de su seno?
¿Quién loca, ha de caer de
hinojos sollozando tantos sollozos

que despierte recelos?
¿Cuántos, los maxilares contraídos,
con sangre en las cicatrices
dirán: —Fue un loco amigo...?
¿Qué niño mirando a la tierra
y viendo moverse a un gusano
tendrá un aire de comprensión?
¿Quién, en circunstancia oficial,
propondrá para mí un pedestal?
¿Qué llegados de la montaña
tendrán circunspección tamaña
que he de reír, blanco de cal?
¿Cuál la que, el rostro al viento,
lanzará un puñado de sal
en mi guarida de cemento?
¿Quién cantará canciones de amigo
el día de mi funeral?
¿Cuál la que no estará presente
por motivo circunstancial?
¿Quién clavará en el seno duro
una hoja oxidada?
¿Quién, con verbo inconsútil,
ha de orar: —La paz le sea dada?
¿Cuál el amigo que, a solas consigo,
ha de pensar: —No será nada...?
¿Quién será la extraña figura
a un tronco de árbol recostada
con mirar frío y aire de dudas?
¿Quién conmigo se abrazará
y tendrá que ser arrancada?

¿Quién va a pagar el entierro y las flores
si yo muero de amores?

# SONETO DE DEVOCIÓN

Vinicius DE MORAES

Esa mujer que se me arroja fría
y lúbrica en los brazos, y a sus senos
me aprieta, me besa y balbucea
verso, rezos a Dios, votos obscenos.

Esa mujer, flor de melancolía
que ríe de mis pálidos recelos
la única entre todas a quien di
caricias que jamás a otra daría.

Esa mujer que a cada amor proclama
la miseria y grandeza de quien ama
y feliz de mis dientes guarda huella.

¡Un mundo, esa mujer! Es una yegua
quizás... pero en el marco de una cama
nunca mujer ninguna fue tan bella.

## DESEOS

Salvador DÍAZ MIRÓN
(Mexicano, 1853-1928)

Yo quisiera salvar esa distancia,
ese abismo fatal que nos divide,

y embriagarme de amor con la fragancia
mística y pura que tu ser despide.

Yo quisiera ser uno de los lazos
con que decoras tus radiantes sienes;
¡yo quisiera, en el cielo de tus brazos,
beber la gloria que en tus labios tienes!...

Yo quisiera ser agua y que en mis olas,
que en mis olas vinieras a bañarte
para poder, como lo sueño a solas,
a un mismo tiempo por doquier besarte.

Yo quisiera ser lino, y en tu lecho,
allá en las sombras, con ardor cubrirte,
temblar con los temblores de tu pecho
y morir del placer de comprimirte.

¡Oh!... ¡Yo quisiera mucho más!... ¡Quisiera
llevar en mí, como la nube, el fuego;
mas no como la nube en su carrera,
para estallar y separarnos luego!...

Yo quisiera en mí mismo confundirte,
confundirte en mí mismo y entrañarte;
yo quisiera en perfume convertirte,
convertirte en perfume y aspirarte.

Aspirarte en un soplo como esencia,
y unir a mis latidos tus latidos,
y unir a mi existencia tu existencia,
y unir a mis sentidos tus sentidos.

Aspirarte en un soplo del ambiente,
y así verter sobre mi vida en calma
toda la llama de tu pecho ardiente
y todo el éter de lo azul de tu alma.

Aspirarte, mujer... De ti llenarme.
Y en ciego y sordo y mudo constituirme,
y ciego y sordo y mudo consagrarme
al deleite supremo de sentirte
y la dicha suprema de adorarte.

## LEONOR DE AQUITANIA
### (Qué doloroso es amar...)

Joaquín DICENTA
(Español, 1862-1917)

¡Qué doloroso es amar... y no poderlo decir!
Si es doloroso saber, que va marchando la vida
como una mujer querida, que jamás ha de volver.
Si es doloroso ignorar, donde vamos al morir;
¡más doloroso es amar... y no poderlo decir!

Triste es ver que la mirada,
hacia el sol levanta el ciego;
y el sol la envuelve en su fuego
y el ciego no siente nada.
Ver su mirada tranquila, a la luz indiferente
y saber que eternamente, la noche va en su pupila
bajo el docel de su frente.

Pero si es triste mirar y la luz no percibir;
¡más doloroso es amar... y no poderlo decir!

Conocer que caminamos,
bajo la fuerza del sino;
recorrer nuestro camino
y no saber donde vamos.
Ser un triste peregrino, de la vida,
en el sendero, no podemos detener,
por ir siempre prisioneros, del amor o del deber.
Mas si es triste caminar y no poder descansar
mas que al tiempo de morir;
¡más doloroso es amar... y no poderlo decir!

Vivir como yo soñando, con cosas que nunca vi;
y seguir, seguir andando, sin saber por qué motivo
ni hasta cuándo.
Tener fantasía y vuelo, que pongan al cielo escalas
y ver, que nos faltan alas, que nos remonten al cielo.
Mas si es triste no gozar, lo que podemos soñar;
no hay más amargo dolor, que ver el alma morir,
prisionera de un amor: ¡y no poderlo decir!

 ## AQUÍ ME TIENES

Nira ETCHENIQUE
(Argentina, 1930-...)

Aquí me tienes. ¿Recuerdas...? Así te dije.

No tienes que tomarme porque tuya soy desde
hace siglos.

Desde el primer hombre y la primera mujer.
Nuestra historia no empieza...
¡Si los años lo saben de hace tanto...!
La escribimos nosotros; sí, nosotros;
otra carne, otra luz, otra distancia,
pero tu alma y la mía siempre fueron.
Tuya soy; desde el aire y la tumba, tuya soy;
desde el soplo primero de la vida
hasta el poderoso misterio de la nada.
No tienes que tomarme;
estoy en ti como puedes estarlo tú en ti mismo;
así estoy, porque existes, simplemente...
Lo nuestro no comienza...
con el primer latido de la tierra
mi piel y mi sueño fueron tuyos,
y heredados a través de los paisajes,
modelados por los siglos,
por las piedras durísimas y tristes de las horas,
aquí están...
Aquí están, piel y sueño de tu piel y sueño;
aquí están, en la arteria vital de tu silencio
y en el canto socavado de tu sangre.

Aquí me tienes.
Tuya soy sin razones y sin gestos;
así, simplemente, porque siempre,
desde siglos y siglos tuya fui...

# SIN AMOR

Nira ETCHENIQUE

Si por lo menos
no hubieras dicho que me amabas,
si sólo hubieras dibujado con tu mano cabal
la mansedumbre de mi cuerpo,
si me hubieras asaltado en silencio,
como el agua,
si hubieras venido a mí como un sonámbulo,
todo pulso, y calor, y piel, y lengua.

Si por lo menos
no hubieras dicho que me amabas,
esta noche
esta noche tan amarga
me sería más fácil caminarla.
Caminarla sin ti que estás mordido
como pan de vagabundo en la ventana,
caminarla sin ti, que te has herido
como pájaro de vientre prolongado.

Si por lo menos
no hubieras dicho que me amabas,
si sólo hubieras llegado con tu hoy
simple y rotundo como un cero
y nada más, y nada de tu ayer y tu castigo,
y tu culpa y tu viejo carro uncido.
Si me hubieras penetrado sin palabras,

sólo y único, en silencio, acorazado.
Si me hubieras medido con tu carne
con la boca afirmada a la moneda,

si me hubieras logrado sin hablarme...

Si por lo menos
no hubieras dicho que me amabas,
si sólo hubieras descendido oscuro
y anónimo y feroz y enmudecido,
qué fácil caminar por esta noche
de ciudad dilatada en bocacalles.
Qué fácil detenerse en las esquinas
y en las manos que juegan a ser rosas
sobre el límpido cristal de las vidrieras.
¡Qué fácil el otoño y el olvido!

## LOS AMANTES

Baldomero FERNÁNDEZ MORENO
(Argentino, 1886-1950)

Ved en sombras el cuarto, y el lecho
desnudos, sonrosados, rozagantes,
el nudo vivo de los dos amantes
boca con boca y pecho contra pecho.

Se hace más apretado el nudo estrecho,
bailotean los dedos delirantes,

suspéndese el aliento unos instantes...
y he aquí el nudo sexual deshecho.

Un desorden de sábanas y almohadas,
de pálidas cabezas despeinadas,
una suelta palabra indiferente,

un poco de hambre, un poco de tristeza,
un infantil deseo de pureza
y un vago olor cualquiera en el ambiente.

## SONETO DE TUS VÍSCERAS

Baldomero FERNÁNDEZ MORENO

Harto ya de alabar tu piel dorada,
tus externas y muchas perfecciones,
canto al jardín azul de tus pulmones
y a tu tráquea elegante y anillada.

Canto a tu masa intestinal rosada
al bazo, al páncreas, a los epiplones
al doble filtro gris de tus riñones
y a tu matriz profunda y renovada.

Canto al tuétano dulce de tus huesos,
a la linfa que embebe tus tejidos,
al acre olor orgánico que exhalas.

Quiero gastar tus vísceras a besos,
vivir dentro de ti con mis sentidos...
Yo soy un sapo negro con dos alas.

# RETO

Julio FLOREZ
(Colombiano, 1867-1923)

Si porque a tus plantas ruedo
como un ilota rendido,
y una mirada te pido
con temor, casi con miedo;
si porque ante ti me quedo
estático de emoción,
sintiendo que el corazón
se va en mi pecho a romper,
piensas que siempre he de ser
esclavo de mi pasión,
¡te equivocas, te equivocas!...,
fresco y fragante capullo;
yo quebrantaré tu orgullo
como el minero las rocas.

Sí a la lucha me provocas,
dispuesto estoy a luchar;
tú eres espuma; yo, mar
que en sus cóleras confía;
me haces llorar, pero un día
yo también te haré llorar.

Y entonces, cuando rendida
me ofrezcas toda tu vida,
perdón pidiendo a mis pies,
como mi cólera es
formidable en los excesos,
¿sabes tú lo que haré en esos
momentos de indignación?...
¡Arrancarte el corazón
para comérmelo a besos!...

# CUÁNDO TENDRÉ, POR FIN, LA VOZ SERENA...

Antonio GALA VELASCO
(Español, 1937-...)

Cuándo tendré, por fin, la voz serena,
sencillo el gesto, la ansiedad cumplida,
sigilados los labios de la herida,
mi pleamar cansada por tu arena.

Cuándo mi sangre trazará en la vena
su ronda acostumbrada y consentida,
y unánimes irán –corta la brida–
el fiero gozo y la dorada pena.

Cuándo estará mi boca sosegada,
suave el aliento, el beso compañero,
compartida la gracia de la almohada.

Cuándo llegará el día verdadero
en que me suelte ya de tu mirada...
para poder decirte que te quiero.

# EL ARMA QUE TE DI PRONTO LA USASTE...

Antonio GALA VELASCO

El arma que te di pronto la usaste
para herirme a traición y sangre fría.
Hoy te reclamo el arma, otra vez mía,
y el corazón en el que la clavaste.

Si en tu poder y fuerza confiaste,
de ahora en adelante desconfía:
era mi amor el que te permitía
triunfar en la batalla en que triunfaste.

Aunque aún mane la sangre del costado
donde melló su filo tu imprudencia,
ya el tiempo terminó de tu reinado.

Hecho a los gestos de la violencia,
con tu mala costumbre ten cuidado:
tú solo no te hieras en mi ausencia.

# HOY VUELVO A LA CIUDAD ENAMORADO...

Antonio GALA VELASCO

Hoy vuelvo a la ciudad enamorado
donde un día los dioses me envidiaron.
Sus altas torres, que por mí brillaron,
pavesa sólo son desmantelada.

De cuanto yo recuerdo, ya no hay nada:
plazas, calles, esquinas se borraron.
El mirto y el acanto me engañaron,
me engañó el corazón de la granada.

Cómo pudo callarse tan deprisa
su rumor de agua oculta y fácil nido,
su canción de árbol alto y verde brisa.

Dónde pudo perderse tanto ruido,
tanto amor, tanto encanto, tanta risa,
tanta campana como se ha perdido.

# VOY A HACERTE FELIZ. SUFRIRÁS TANTO...

Antonio GALA VELASCO

Voy a hacerte feliz. Sufrirás tanto
que le pondrás mi nombre a la tristeza.

Mal contrastada, en tu balanza empieza
la caricia a valer menos que el llanto.

Cuánto me vas a enriquecer y cuánto
te vas a avergonzar de tu pobreza,
cuando aprendas –a solas– qué belleza
tiene la cara amarga del encanto.

Para ser tan feliz como yo he sido,
besa la espina, tiembla ante la rosa,
bendice con el labio malherido,

juégate entero contra cualquier cosa.
Yo entero me jugué. Ya me he perdido.
Mira si mi venganza es generosa.

# ES VERDAD

Federico GARCÍA LORCA
(Español, 1899-1936)

¡Ay qué trabajo me cuesta
quererte como te quiero!

Por tu amor me duele el aire,
el corazón
y el sombrero.

¿Quién me compraría a mí
este cintillo que tengo
y esta tristeza de hilo
blanco, para hacer pañuelos?

¡Ay qué trabajo me cuesta
quererte como te quiero!

# LA CASADA INFIEL

Federico GARCÍA LORCA

Y que yo me la llevé al río
creyendo que era mozuela,
pero tenía marido.

Fue la noche de Santiago
y casi por compromiso.
Se apagaron los faroles
y se encendieron los grillos.
En las últimas esquinas
toqué sus pechos dormidos,
y se me abrieron de pronto
como ramos de jacintos.
El almidón de su enagua
me sonaba en el oído
como una pieza de seda
rasgada por diez cuchillos.
Sin luz de plata en sus copas

los árboles han crecido,
y un horizonte de perros
ladra muy lejos del río.

Pasadas las zarzamoras,
los juncos y los espinos,
bajo su mata de pelo
hice un hoyo sobre el limo.
Yo me quité la corbata.
Ella se quitó el vestido.
Yo, el cinturón con revólver.
Ella, sus cuatro corpiños.
Ni nardos ni caracolas
tienen el cutis tan fino,
ni los cristales con luna
relumbran con ese brillo.
Sus muslos se me escapaban
como peces sorprendidos,
la mitad llenos de lumbre,
la mitad llenos de frío.
Aquella noche corrí
el mejor de los caminos,
montado en potra de nácar
sin bridas y sin estribos.
No quiero decir, por hombre,
las cosas que ella me dijo.
La luz del entendimiento
me hace ser muy comedido.
Sucia de besos y arena,
yo me la llevé del río.
Con el aire se batían
las espadas de los lirios.

Me porté como quien soy:
como un gitano legítimo.
Le regalé un costurero
grande, de raso pajizo,
y no quise enamorarme
porque, teniendo marido,
me dijo que era mozuela
cuando la llevaba al río.

# ROMANCE SONÁMBULO

Federico GARCÍA LORCA

*A Gloría Giner*
*y a Fernando de los Ríos*

Verde, que te quiero verde.
Verde viento. Verdes ramas.
El barco sobre la mar
y el caballo en la montaña.
Con la sombra en la cintura
ella sueña en su baranda,
verde carne, pelo verde,
con ojos de fría plata.
Verde, que te quiero verde
Bajo la luna gitana,
las cosas la están mirando
y ella no puede mirarlas.
Verde que te quiero verde.

Grandes estrellas de escarcha
vienen con el pez de sombra
que abre el camino del alba.
La higuera frota su viento
con la lija de sus ramas,
y el monte, gato garduño,
eriza sus pitas agrias.
Pero ¿quién vendrá? ¿Y por dónde...?
Ella sigue en su baranda,
verde carne, pelo verde,
soñando en la mar amarga.
—Compadre, quiero cambiar
mi caballo por su casa,
mi montura por su espejo,
mi cuchillo por su manta.
Compadre, vengo sangrando,
desde los puertos de Cabra.
—Si yo pudiera, mocito,
ese trato se cerraba.
Pero yo ya no soy yo,
ni mi casa es ya mi casa.
—Compadre, quiero morir
decentemente en mi cama.
De acero, si puede ser,
con las sábanas de holanda.
¿No ves la herida que tengo
desde el pecho a la garganta?
—Trescientas rosas morenas
lleva tu pechera blanca.
Tu sangre rezuma y huele
alrededor de tu faja.
Pero yo ya no soy yo,

ni mi casa es ya mi casa.
–Dejadme subir al menos
hasta las altas barandas,
¡dejadme subir!, dejadme,
hasta las verdes barandas.
Barandales de la luna
por donde retumba el agua.
Ya suben los dos compadres
hacia las altas barandas.
Dejando un rastro de sangre.
Dejando un rastro de lágrimas.
Temblaban en los tejados
farolillos de hojalata.
Mil panderos de cristal
herían la madrugada.

Verde, que te quiero verde,
verde viento, verdes ramas.
Los dos compadres subieron.
El largo viento dejaba
en la boca un raro gusto
de hiel, de menta y de albahaca.
–¡Compadre! ¿Dónde está, dime,
dónde está tu niña amarga?
¡Cuántas veces te esperó!
¡Cuántas veces te esperara,
cara fresca, negro pelo,
en esa verde baranda!

Sobre el rostro del aljibe
se mecía la gitana.
Verde carne, pelo verde,

con ojos de fría plata.
Un carámbano de luna
la sostiene sobre el agua.
La noche se puso íntima
como una pequeña plaza.
Guardias civiles borrachos
en la puerta golpeaban.
Verde, que te quiero verde,
verde viento, verdes ramas.
El barco sobre la mar.
Y el caballo en la montaña.

# CENIZAS

Antonio Alejandro GIL
(Argentino, 1884-1952)

Superada la congoja,
sobrepasado el delirio,
del libro de aquel martirio
fui quemando hoja por hoja.
(También a la llama roja
arrojé mi corazón).
Ya no queda ni un renglón
de la historia de la pena;
si hasta creo que fue ajena
la pena de esa pasión.

# ENCUENTRO

Antonio Alejandro GIL

La vi. ¡Qué mala pasada!
¡Qué desencanto, qué pena!
Su dulce cara morena
de virgen inmaculada,
ha sido hondamente arada
por un tiempo labrador.
No queda de aquel albor
ni el más mínimo destello;
ni el sello, siquiera el sello
de su pasado esplendor.

## 12

Oliverio GIRONDO
(Argentino, 1891-1967)

Se miran, se presienten, se desean,
se acarician, se besan, se desnudan,
se respiran, se acuestan, se olfatean,
se penetran, se chupan, se demudan,
se adormecen, despiertan, se iluminan,
se codician, se palpan, se fascinan,
se mastican, se gustan, se babean,
se confunden, se acoplan, se disgregan,

se aletargan, fallecen, se reintegran,
se distienden, se enarcan, se menean,
se retuercen, se estiran, se caldean,
se estrangulan, se aprietan, se estremecen,
se tantean, se juntan, desfallecen,
se repelen, se enervan, se apetecen,
se acometen, se enlazan, se entrechocan,
se agazapan, se apresan, se dislocan,
se perforan, se incrustan,·se acribillan,
se remachan, se injertan, se atornillan,
se desmayan, reviven, resplandecen,
se contemplan, se inflaman, se enloquecen,
se derriten, se sueldan, se calcinan,
se desgarran, se muerden, se asesinan,
resucitan, se buscan, se refriegan,
se rehuyen, se evaden y se entregan.


# AL AMOR

Manuel GONZÁLEZ PRADA
(Peruano, 1853-1918)

Si eres un bien arrebatado al cielo,
¿por qué las dudas, el gemido, el llanto,
la desconfianza, el torcedor quebranto,
las turbias noches de febril desvelo?

Si eres un mal en el terrestre suelo,
¿por qué los goces, la sonrisa, el canto,

las esperanzas, el glorioso encanto,
las visiones de paz y de consuelo?

Si eres nieve, ¿por qué tus vivas llamas?;
si eres llama, ¿por qué tu hielo inerte?;
si eres sombra, ¿por qué la luz derramas?

¿Por qué la sombra si eres luz querida?;
si eres vida, ¿por qué me das la muerte?;
si eres muerte, ¿por qué me das la vida?

## TU RECUERDO

Nicolás GUILLÉN
(Cubano, 1902-1989)

Siento que se despega tu recuerdo
de mi mente como una vieja estampa;
tu figura
no tiene ya cabeza
y un brazo está deshecho, como en esas
calcomanías desoladas
que ponen los muchachos en la escuela
y son después en el libro olvidado
una mancha dispersa.

Cuando estrecho tu cuerpo
tengo la sensación de que estuviera hecho de estopa.
Me hablas y tu voz
me viene de tan lejos

que apenas puedo oírte. Además
ya no te creo.

Yo mismo, ya curado
de la pasión antigua,
me pregunto cómo fue que pude amarte,
tan inútil, tan vana,
tan floja que antes del año
de tenerte en mis brazos
ya te estás deshaciendo como un girón de humo,
y ya te estás borrando como un dibujo antiguo,
y ya te me despegas en la mente,
como una vieja estampa.

## PARA UN "MENÚ"

Manuel GUTIÉRREZ NAJERA
(Mexicano, 1859-1895)

Las novias pesadas son copas vacías;
en ellas pusimos un poco de amor;
el néctar tomamos…, huyeron los días…
¡Traed otras copas con nuevo licor!

Champagne son las rubias de cutis de azalia;
Borgoña los labios de vino carmín;
los ojos oscuros son vino de Italia,
¡los verdes y claros son vino del Rhin!

Las bocas de grana son húmedas fresas;
las negras pupilas escancian café,
¡son ojos azules las llamas traviesas
que trémulas corren como almas del té!

La copa se apura, la dicha se agota;
de un sorbo tomamos mujer y licor...
Dejemos las copas... Si queda una gota,
¡que beba el lacayo las heces de amor!

# CANCIÓN DEL ESPOSO SOLDADO

Miguel HERNÁNDEZ
(Español, 1910-1942)

He poblado tu vientre de amor y sementera,
he prolongado el eco de sangre a que respondo
y espero sobre el surco como el arado espera:
he llegado hasta el fondo.

Morena de altas torres, alta luz y ojos altos,
esposa de mi piel, gran trago de mi vida,
tus pechos locos crecen hacia mí dando saltos
de cierva concebida.

Ya me parece que eres un cristal delicado,
temo que te me rompas al más leve tropiezo,
y a reforzar tus venas con mi piel de soldado
fuera como el cerezo.

Espejo de mi carne, sustento de mis alas,
te doy vida en la muerte que me dan y no tomo.
Mujer, mujer, te quiero cercado por las balas,
aislado por el plomo.

Sobre los ataúdes feroces en acecho,
sobre los mismos muertos sin remedio y sin fosa
te quiero, y te quisiera besar con todo el pecho
hasta en el polvo, esposa.

Cuando junto a los campos de combate te piensa
mi frente que no enfría ni aplaca tu figura,
te acercas hacia mí como una boca inmensa
de hambrienta dentadura.

Escríbeme a la lucha, siénteme en la trinchera:
aquí con el fusil tu nombre evoco y fijo,
y defiendo tu vientre de pobre que me espera,
y defiendo tu hijo.

Nacerá nuestro hijo con el puño cerrado,
envuelto en un clamor de victoria y guitarras,
y dejaré a tu puerta mi vida de soldado
sin colmillos ni garras.

Es preciso matar para seguir viviendo.
Un día iré a la sombra de tu pelo lejano,
y dormiré en la sábana de almidón y de estruendo
cosida por tu mano.

Tus piernas implacables al parto van derechas,
y tu implacable boca de labios indomables,

y ante mi soledad de explosiones y brechas
recorres un camino de besos implacables.

Para el hijo será la paz que estoy forjando.
Y al fin en un océano de irremediables huesos
tu corazón y el mío naufragarán, quedando
una mujer y un hombre gastados por los besos.

# EL RAYO QUE NO CESA

Miguel HERNÁNDEZ

Como el toro he nacido para el luto
y el dolor, como el toro estoy marcado
por un hierro infernal en el costado
y por varón en la ingle con un fruto.

Como el toro lo encuentra diminuto
todo mi corazón desmesurado
y del rostro y el beso enamorado,
como el toro a tu amor se lo disputo.

Como el toro me crezco en el castigo,
la lengua en corazón tengo bañada
y llevo al cuello un vendaval sonoro.

Como el toro te sigo y te persigo,
y dejas mi deseo en una espada,
como el toro burlado, como el toro.

# BALADA DE LO QUE NO VUELVE

Vicente HUIDOBRO
(Chileno, 1893-1948)

Venía hacia mí por la sonrisa,
por el camino de su gracia,
y cambiaba las horas del día,
el cielo de la noche se convertía en el cielo del
[amanecer.
El mar era un árbol frondoso lleno de pájaros,
las flores daban campanadas de alegría
y mi corazón se ponía a perfumar enloquecido.

Van andando los días a lo largo del año.
¿En dónde estás?
Me crece la mirada,
se me alargan las manos,
en vano la soledad abre sus puertas
y el silencio se llena de tus pasos de antaño.
Me crece el corazón,
se me alargan los ojos y quisiera pedir otros ojos
para ponerlos allí donde terminan los míos.
¿En dónde estás ahora?
¿Qué sitio del mundo se está haciendo tibio con tu
[presencia?

Me crece el corazón como una esponja
o como esos corales que van a formar islas.
Es inútil mirar los astros
o interrogar las piedras encanecidas;

es inútil mirar ese árbol que te dijo adiós el último
y te saludará el primero a tu regreso.
Eres substancia de lejanía
y no hay remedio.
Andan los días en tu busca,
a qué seguir por todas partes las huellas de tus pasos;
el tiempo canta dulcemente
mientras la herida cierra los párpados para dormirse.
Me crece el corazón
hasta romper sus horizontes
hasta saltar por encima de los árboles
y estrellarse en el cielo.
La noche sabe qué corazón tiene más amargura.

Sigo las flores y me pierdo en el tiempo
de soledad en soledad.
Sigo las olas y me pierdo en la noche
de soledad en soledad,
tú has escondido la luz en alguna parte.
¿En dónde? ¿En dónde?
Andan los días en tu busca,
los días llagados coronados de espinas
se caen, se levantan
y van goteando sangre.

Te buscan los caminos de la tierra
de soledad en soledad.
Me crece terriblemente el corazón,
nada vuelve,
todo es otra cosa,
se van las flores y las hierbas,
el perfume apenas llega como una campanada de otra
                                                    [provincia.

Vienen otras miradas y otras voces,
viene otra agua en el río,
vienen otras hojas de repente en el bosque,
todo es otra cosa,
nada vuelve.
Se fueron los caminos
se fueron los minutos y las horas
se alejó el río para siempre
como los cometas que tanto admiramos.

Desbordará mi corazón sobre la tierra
y el universo será mi corazón.


## EL FUERTE LAZO

Juana de IBARBOUROU
(Uruguaya, 1895-1979)

Crecí
para ti.
Tálame. Mi acacia
implora a tus manos el golpe de gracia.

Florí
para ti.
Córtame. Mi lirio
al nacer dudaba ser flor o ser cirio.

Fluí
para ti.
Bébeme. El cristal
envidia lo claro de mi manantial.

Alas di
por ti.
Cázame. Falena,
rodeo tu llama de impaciencia llena.

Por ti sufriré.
¡Bendito sea el daño que tu amor me dé!
¡Bendita sea el hacha, bendita la red,
y loadas sean tijeras y sed!

Sangre del costado
manaré, mi amado.
¿Qué broche más bello, qué joya más grata,
que por ti una llaga color escarlata?

En vez de abalorios para mis cabellos,
siete espinas largas hundiré entre ellos.
Y en vez de zarcillos pondré en mis orejas,
como dos rubíes, dos ascuas bermejas.

Me verás reír
viéndome sufrir.
Y tú llorarás,
y entonces... ¡más mío que nunca serás!

# LA HORA

Juana de IBARBOUROU

Tómame ahora que aún es temprano
y que llevo dalias nuevas en la mano.

Tómame ahora que aún es sombría
esta taciturna cabellera mía.

Ahora, que tengo la carne olorosa,
y los ojos limpios y la piel de rosa.

Ahora, que calza mi planta ligera
la sandalia viva de la primavera.

Ahora, que en mis labios repica la risa
como la campana sacudida a prisa.

Después... ¡ah, yo sé
que ya nada de eso más tarde tendré!

Que entonces inútil será tu deseo
como ofrenda puesta sobre un mausoleo.

¡Tómame ahora que aún es temprano
y que tengo rica de nardos la mano!

Hoy, y no más tarde. Antes que anochezca
y se vuelva mustia la corola fresca.

Hoy, y no mañana. Oh, amante, ¿no ves
que la enredadera crecerá ciprés?

# VIDA-GARFIO

Juana de IBARBOUROU

Amante: no me lleves, si muero, al camposanto.
A flor de tierra abre mi fosa, junto al riente
alboroto divino de alguna pajarera
o junto a la encantada charla de alguna fuente.

A flor de tierra, amante. Casi sobre la tierra
donde el sol me calienta los huesos, y mis ojos
alargados en tallos, suban a ver de nuevo
la lámpara salvaje de los ocasos rojos.

A flor de tierra, amante. Que el tránsito así sea
      más breve. Yo presiento
la lucha de mi carne por volver hacia arriba,
por sentir en sus átomos la frescura del viento.

Yo sé que acaso nunca allá abajo mis manos
      podrán estarse quietas.
Que siempre como topos arañarán la tierra
en medio de las sombras estrujadas y prietas.

Arrójame semillas. Yo quiero que se enraícen
en la greda amarilla de mis huesos menguados.
¡Por la parda escalera de las raíces vivas
yo subiré a mirarte en los lirios morados!

# CUANDO NO ESTÉS

Córdova ITURBURU
(Argentino, 1902-1977)

Cuando no estés, si es que no estás un día,
mi voz, sin voz, te llamará sin pausa.
Cuando no esté, si es que no estoy un día,
oirás mi voz en un rumor que pasa.

Cuando no estés, si es que no estás un día,
clamaré por tu gracia en toda gracia.
Cuando no esté, si es que no estoy un día,
moverá mi perfil la luna fría
en las cortinas que hay en tu ventana.

Cuando no estés, si es que no estás un día,
sólo oiré en las palabras tu palabra.
Cuando no esté, si es que no estoy un día,
verás mi sombra entre la sombra fría
junto a la cabecera de tu cama.

Cuando no estés, si es que no estás un día,
en cada verso mío habrá una lágrima.
Cuando no esté, si es que no estoy un día,
me sentirás bajo la tarde fría
llegar a ti en el son de las campanas.

Cuando no estés, si es que no estás un día,
te buscaré en la tierra, el aire, el agua.
Cuando no esté, si es que no estoy un día

oirás mi paso entre la sombra fría
siguiéndote los pasos por la casa.

Cuando no estés, si es que no estás un día,
te inventaré en el humo y en la llama.
Cuando no esté, si es que no estoy un día,
sorprenderá la madrugada fría
mi mano en tu cabeza despeinada.

Cuando no estés, si es que no estás un día,
te invocará en el sueño mi esperanza.
Cuando no esté, si es que no estoy un día,
en tu sueño entraré en la noche fría
cuando el sueño te cubra con sus aguas.

## EL AMOR EMPIEZA

Roberto JUARROZ
(Argentino, 1925-1995)

El amor empieza cuando se rompen los dedos
y se dan vuelta las solapas del traje,
cuando ya no hace falta pero tampoco sobra
la vejez de mirarse,
cuando la torre de los recuerdos, baja o alta,
se agacha hasta la sangre.

El amor empieza cuando Dios termina
y cuando el hombre cae,

mientras las cosas, demasiado eternas,
comienzan a gastarse,
y los signos, las bocas y los signos,
se muerden mutuamente en cualquier parte.

El amor empieza
cuando la luz se agrieta como un muerto disfrazado
sobre la soledad irremediable.

Porque el amor es simplemente eso:
la forma del comienzo
tercamente escondida
detrás de los finales.

## SEXTA POESÍA VERTICAL

Roberto JUARROZ

Miro un árbol.
Tú miras lejos cualquier cosa.
Pero yo sé que si no mirara este árbol
tú lo mirarás por mí
y tú sabes que si no miraras lo que miras
yo lo miraría por ti.

Ya no nos basta
mirar cada uno con el otro.
Hemos logrado
que si uno de los dos falta,

el otro mire
lo que uno tendría que mirar.

Sólo necesitamos ahora
fundar una mirada que mire por los dos
lo que ambos deberíamos mirar
cuando no estemos ya en ninguna parte.

## PENA Y ALEGRÍA DEL AMOR

Rafael de LEÓN
(Español, 1910-1982)

Mira cómo se me pone
la piel cuando te recuerdo...

Por la garganta me sube
un río de sangre fresco
de la herida que atraviesa
de parte a parte mi cuerpo.
Tengo clavos en las manos
y cuchillos en los dedos
y en mi sien una corona
hecha de alfileres negros.

Mira cómo se me pone
la piel cada vez que me acuerdo
que soy un hombre casao
y sin embargo te quiero.

Entre tu casa y mi casa
hay un muro de silencio,
de ortigas y de chumberas,
de cal, de arena, de viento,
de madreselvas oscuras
y de vidrios en acecho.
Un muro para que nunca
lo pueda saltar el pueblo,
que está robando la llave
que guarda nuestro secreto.
¡Y yo sé bien que me quieres!
¡Y tú sabes que te quiero!
Y lo sabemos los dos
y nadie puede saberlo.

¡Ay pena, penita, pena
de nuestro amor en silencio!

¡Ay, qué alegría, alegría
quererte como te quiero!

Cuando por la noche a solas
me quedo con tu recuerdo,
derribaría la pared
que separa nuestro sueño,
rompería con mis manos
de tu cancela los hierros,
con tal de verme a tu vera,
tormento de mis tormentos,
y te estaría besando
hasta quitarte el aliento.
Y luego, qué se me daba
quedarme en tus brazos muerto.

¡Ay, qué alegría y qué pena
quererte como te quiero!

Nuestro amor es agonía,
luto, angustia, llanto, miedo,
muerte, pena, sangre, vida,
luna, rosa, sol y viento.
Es morirse a cada paso
y seguir viviendo luego
con una espada de punta
siempre pendiente del techo.

Salgo de mi casa al campo
sólo con tu pensamiento,
por acariciar a solas
la tela de aquel pañuelo
que se te cayó un domingo
cuando venías del pueblo
y que no he dicho nunca,
mi vida, que yo lo tengo.
Y lo estrujo entre mis manos
lo mismo que un limón nuevo,
y miro tus iniciales
y las repito en silencio
para que ni el campo sepa
lo que yo te estoy queriendo.

Ayer, en la Plaza Nueva,
–vida, no vuelvas a hacerlo–
te vi besar a mi niño,
a mi niño el más pequeño,
y cómo lo besarías

¡ay Virgen de los Remedios!
que fue la primera vez
que a mí me diste un beso.

Llegué corriendo a mi casa,
alcé a mi niño del suelo
y sin que nadie me viera,
como un ladrón en acecho,
en su cara de amapola
mordió mi boca tu beso.

¡Ay, qué alegría y qué pena
quererte como te quiero!

Mira, pase lo que pase,
aunque se hunda el firmamento,
aunque tu nombre y el mío
los pisoteen por el suelo,
aunque la tierra se abra
y aun cuando lo sepa el pueblo
y ponga nuestra bandera
de amor, a los cuatro vientos,
sígueme queriendo así,
tormento de mis tormentos.

¡Ay, qué alegría y qué pena
quererte como te quiero

# TOÍTO TE LO CONSIENTO

Rafael de LEÓN

¿Te acuerdas de aquella copla
que escuchamos aquel día
sin saber quién la cantaba
ni de qué rincón salía?...
¡Qué encanto! ¿verdad?
¡Qué duende, qué sentimiento,
pero qué estilo, qué voz!
Creo que se nos saltaron
las lágrimas a los dos.

"Toíto te lo consiento,
menos faltarle a mi mare,
que una mare no se encuentra,
y a ti te encontré en la calle".

No vayas a figurarte
que esto va con intención;
tú sabes que por ti tengo
grabao en el corazón
el querer más puro y firme
que ningún hombre sintiera
por la que Dios, uno y trino,
le entregó por compañera.
Pero es bonita la copla
y entra bien por soleares:
"Toíto te lo consiento,
menos faltarle a mi mare".

Y me enterao casualmente
de que le faltaste ayer.
Y nadie me lo ha contao,
nadie; pero yo lo sé.
Que tengo entre dos amores
mi cariño repartío;
si encuentro el uno llorando
es que el otro lo ha ofendío;
y mira, nunca me quejo
de tus caprichos constantes:
¿Quieres un vestío?... Catorce.
¿Quieres un reloj?... Con brillantes.
Ni me importa que la gente
vaya de mí murmurando
que si soy pa ti un muñeco,
que si me has quitao el mando...

Que en la diestra y la siniestra
tienes un par de agujeros,
por donde se va a los mares
el río de mis dineros.
Que yo con tal de que nunca...
de mi lao te separes...
"Toíto te lo consiento,
menos faltarle a mi mare".

Porque ese mimbre de luto
que no levanta la voz,
que en seis años no ha tenío
contigo ni un si ni un no,
que anda como una pavesa,
que no gime ni suspira,

que se le llenan los ojos
de gloria cuando nos mira.
Que me crió con su sangre
y me guiaba la mano
para que me persignara
como tó fiel cristiano;
y en las candelas del hijo
consumió su juventud
cuando era..., cuarenta veces
mucho más guapa que tú;
tienes que hacerte la cuenta
que la has visto en los altares
e hincártele de rodillas
antes que hablarle a mi mare...
Porque el amor que te tengo
se lo debes a su amor.
Que yo me casé contigo
porque ella me lo mandó.

Conque a ver si tu conciencia
se aprende esta copla mía,
muy semejante aquel cante
que escucháramos un día,
sin saber quién lo cantaba
ni de qué rincón salía:

"A la mare de mi alma
la quiero desde la cuna.
Por Dios, no me la avasalles,
que mare no hay más que una
y a ti te encontré en la calle".

# PROFECÍA

Rafael de LEÓN

Me lo contaron ayer
las lenguas de doble filo
que te casaste hace un mes,
y me quedé tan tranquilo...
Otro cualquiera en mi caso
se hubiera echao a llorar;
yo, cruzándome de brazos,
dije, que me daba igual.
Nada de pegarme un tiro
ni enredarme en maldiciones,
ni apedrear con suspiros
los vidrios de tus balcones.
¿Que te has casao? ¡Buena suerte!
Vive cien años contenta
y a la hora de la muerte
Dios no te lo tenga en cuenta.
Que si al pie de los altares
mi nombre se te borró,
por la gloria de mi mare
que no te guardo rencor.
Por qué sin ser tu marío,
ni tu novio, ni tu amante,
soy el que más te ha querío,
con eso tengo bastante.

Y haciendo un poco de historia,
nos volveremos atrás,

para recordar la gloria
de mis días de chaval.

¿Qué tiene el niño Malena
Anda como trastornao
le encuentro cara de pena,
y el colorcillo quebrao.
Y ya no juega a la trompa,
ni tira piedras al río,
ni se destroza la ropa
subiéndose a cojer "níos".
¿No te parece a ti extraño?
¿No es una cosa muy rara
que un chaval de doce años
lleve tan triste la cara?...
Mira que soy perro viejo
y estás demasiá tranquila:
¿quieres que te dé un consejo:
Vigila, mujer, vigila.
(Y fueron dos centinelas
los ojitos de mi mare):
Cuando sale de la escuela
se va por los Olivares.
¿Y qué es lo que busca allí?
Una niña. Tendrá el mismo
tiempo que él.
José Miguel, no le riñas
que está empezando a querer.
Mi pare encendió un pitillo,
se enteró bien de tu nombre
y te compró unos zarcillos
y a mí un pantalón de hombre.

Yo no te dije: ¡Te adoro
pero amarré en tu balcón
mi lazo de seda y oro
de primera comunión.
Y tú fina y orgullosa
me ofreciste en recompensa
dos cintas color de rosa
que engalanaban tus trenzas.

—Voy a misa con mis primos.
—Bueno te veré en la Ermita.
Y qué serios nos pusimos
al darte el agua bendita.

Más luego en el campanario
cuando rompimos a hablar:
Dice mi tiita Rosario
que la cigüeña es sagrá
y el colorín y la fuente;
y las flores y el rocío,
y el romero de los montes
y el bronce de esta campana
y aquel torito valiente
que está bebiendo en el río,
y aquella cinta lejana
que le llaman horizonte.
Todo es sagrao, cielo y tierra,
porque too lo hizo Dios.

¿Qué te gusta más? ¡tu pelo!
Qué bonito le salió:
Pues —y tu boca y tus brazos

y tus manos redonditas,
y tus pies fingiendo el paso
de las palomas zuritas.

Con la pureza de un copo
de nieve te comparé,
te revestí de piropos
de la cabeza a los pies.
A la vuelta te hice un ramo
de pitiminí precioso.
Y luego nos retratamos
en el agüita del pozo.
Y hablando de estas pamplinas
que se inventan las criaturas,
llegamos hasta la esquina.
Yo te pregunté: –¿En qué piensas?
Tu dijiste –¡En darte un beso?–
Y yo sentí una vergüenza
que me caló hasta los huesos.
De noche muertos de luna
nos vimos por la ventana.
¡Chis!... Mi hermanito está en la cuna
le estoy cantando la "nana".

Quiíitate de la esquina
chiquillo loco,
que mi mare no quiere
ni yo tampoco.

Y mientras tú cantabas
yo, inocente, me pensé
que nos casaba la nana

como a marío y mujer.
¡Pamplinas! Figuraciones
que se inventan los chavales,
después la vía se impone:
tanto tienes, –tanto vales.
Por eso yo al enterarme
que llevas un mes casá
no dije que iba a matarme,
sino que me daba igual.
Mas como es rico tu dueño
te vendo esta profecía:
Tú, cada noche entre sueños
soñarás que me querías
y recordarás la tarde
que tu boca me besó.
Y te llamarás: ¡Cobarde!
como te lo llamo yo,
y verás sueña que sueña
que me morí siendo chico.
Y se llevó una cigüeña
"mi corazón en el pico".
Pensarás: No es cierto nada.
Yo sé que lo estoy soñando.
Pero allá en la madrugada
te despertarás llorando
por el que no es tu marío,
ni tu novio ni tu amante,
sino el que más te ha querío:
con eso tengo bastante.
Por lo demás, to se orvía.
Verás como Dios te envía
un hijo como una estrella.

Avísame deseguida
me servirá de alegría
cantarle la nana aquélla:
Quítate de la esquina
chiquillo loco,
que mi mare no quiere
ni yo tampoco.

Pensarás: No es cierto nada.
Yo sé que lo estoy soñando.
Pero allá en la madrugada
te despertarás llorando
por el que no es tu marío,
ni tu novio, ni tu amante,
sino el que más te ha querío:
con eso tengo bastante.

## ROMANCE DE AQUEL HIJO...

Rafael de LEÓN

Hubiera podido ser
hermoso como un jacinto,
con tus ojos y tu boca
y tu piel color de trigo;
pero con un corazón
grande y loco como el mío.

Hubiera podido ir,
las tardes de los domingos,
de mi mano y de la tuya,
con su traje de marino,
luciendo una ancla en el brazo
y en la gorra un nombre antiguo.

Hubiera salido a ti
en lo dulce y en lo vivo
en lo abierto de la risa
y en lo claro del instinto;
y a mí, tal vez, que saliese
en lo triste y en lo lírico
y en esta torpe manera
de verlo todo distinto.

¡Ay, qué cuarto con juguetes,
amor, hubiera tenido!...
Tres caballos, dos espadas,
un carro verde de pino,
un tren con siete estaciones,
un barco, un pájaro, un nido...
y cien soldados de plomo,
de plata y oro vestidos.

¡Ay, qué cuarto con juguetes,
amor, hubiera tenido!...

¿Te acuerdas, aquella tarde,
bajo el verde de los pinos,
que me dijiste: –¡Qué gloria
cuando tengamos un hijo!...–

Y temblaba tu cintura
como un palomo cautivo,
y nueve lunas de sombra
brillaban de tu delirio.

Yo te escuchaba lejano,
entre mis versos, perdido;
pero sentí por mi espalda
subir un escalofrío,
y repetí como un eco:
—¡Cuando tengamos un hijo!...—

Tú, entre sueños, ya cantabas
nanas de sierra y tomillo,
e ibas lavando pañales
por las orillas de un río.
Yo, arquitecto de ilusiones,
sostenía el equilibrio
de una torre de esperanza
con un balcón de suspiros.

¡Ay, qué gloria, amor, qué gloria
cuando tengamos un hijo!...—

En tu cómoda de cedro
nuestro ajuar se quedó frío,
entre alhucema y manzana,
entre romero y membrillo.
¡Qué pálidos los encajes!
¡Qué sin gracia los vestidos!
¡Qué sin olor los pañuelos
y qué sin sangre el cariño!

Tu velo blanco de novia
–por su olvido y por mi olvido–
fue un camino de Santiago
doloroso y amarillo.
Tú te has casado con otro;
yo con otra he hecho lo mismo…

Juramentos y palabras
están secos y marchitos
en un antiguo almanaque
sin sábados ni domingos.

Ahora, bajas al paseo
rodeada de tus hijos,
dando el brazo a… la levita
que se pone tu marido.
Te llaman… ¡doña Manuela!;
usas guantes y abanico,
y tres papadas te cortan
en la garganta el suspiro.

Nos saludamos de lejos
como dos desconocidos;
tu marido baja y sube
la chistera; yo me inclino,
y tú sonríes sin gana
de un modo triste y ridículo.

Pero yo no me hago cargo
de que hemos envejecido,
porque te sigo queriendo
igual o más que al principio,

y te veo como entonces,
con tu cintura de lirio,
con un jazmín en los dientes
y a color como el trigo,
y aquella voz que decía:
–¡Cuando tengamos un hijo!...–

Y en esas tardes de lluvia,
cuando mueves los bolillos
y yo paso por la calle
con mi pena y con mi libro,
dices, con miedo, entre sombras,
amparada en el visillo:
–¡Ay, si yo con ese hombre
hubiese tenido un hijo!...


# DICEN...


Manuel MAGALLANES MOURE
(Chileno, 1878-1924)

ELLA DICE:

Sus ojos suplicantes me pidieron
una tierna mirada, y por piedad
mis ojos se posaron en los suyos...
Pero él me dijo: ¡más!

Sus ojos suplicantes me pidieron
una dulce sonrisa, y por piedad
mis labios sonrieron a sus ojos...
Pero él me dijo: ¡más!

Sus manos suplicantes me pidieron
que les diera las mías, y en mi afán
de contentarlo, le entregué mis manos...
Pero él me dijo: ¡más!

Sus labios suplicantes me pidieron
que les diera mi boca, y por gustar
sus besos, le entregué mi boca trémula...
Pero él me dijo: ¡más!

Su ser, en una súplica suprema,
me pidió toda, ¡toda!, y por saciar
mi devorante sed, fui toda suya...
Pero él me dijo: ¡más!

DICE ÉL:

La pedí una mirada, y al mirarme
brillaba en sus pupilas la piedad
y sus ojos parece que decían:
¡No puedo darte más!

La pedí una sonrisa. Al sonreírme,
sonreía en sus labios la piedad
y sus ojos parece que decían:
¡No puedo darte más!

La pedí que sus manos me entregara,
y al oprimir las mías con afán,
parece que en la sombra me decía:
¡No puedo darte más!

La pedí un beso, ¡un beso!, y al dejarme
sobre sus labios el amor gustar,
me decía su boca toda trémula:
¡No puedo darte más!

La pedí, en una súplica suprema,
que me diera su ser..., y al estrechar
su cuerpo contra el mío me decía:
¡No puedo darte más!

# LA NIÑA DE GUATEMALA

José Julián MARTÍ
(Cubano, 1853-1895)

Quiero, a la sombra de un ala,
contar este cuento en flor:
la niña de Guatemala,
la que se murió de amor.

Eran de lirio los ramos,
y las orlas de reseda
y de jazmín: la enterramos
en una caja de seda.

...Ella dio al desmemoriado
una almohadilla de olor;
él volvió, volvió casado;
ella se murió de amor.

Iban cargándola en andas
obispos y embajadores;
detrás iba el pueblo en tandas,
todo cargado de flores.

...Ella, por volverlo a ver,
salió a verlo al mirador;
él volvió con su mujer;
ella se murió de amor.

Como de bronce candente
al beso de despedida
era su frente –la frente
que más he amado en mi vida.

...Se entró de tarde en el río,
la sacó muerta el doctor;
dicen que murió de frío:
yo sé que murió de amor.

Allí en la bóveda helada,
la pusieron en dos bancos;
besé su mano afilada,
besé sus zapatos blancos.

Callado al oscurecer,
me llamó el enterrador;
nunca más he vuelto a ver
a la que murió de amor.

# VERSOS SENCILLOS

José Julián MARTÍ

Por tus ojos encendidos
y lo mal puesto de un broche,
pensé que estuviste anoche
jugando a juegos prohibidos.

Te odié por vil y alevosa:
te odié con odio de muerte:
náusea me daba verte
tan villana y tan hermosa.

por la esquela que vi
sin saber cómo ni cuándo,
sé que estuviste llorando
toda la noche por mí.

# PLEGARIA

Gabriela MISTRAL
(Chilena, 1889-1957)

Señor, Tú sabes cómo con encendido brío
por los seres extraños mi plegaria te invoca.
Ahora vengo a pedirte por uno que era mío
mi vaso de frescura, el panal de mi boca.

Cal de mis huesos, dulce razón de la jornada,
gorjeo de mi oído, ceñidor en mi veste.
Me cuido hasta de aquellos en que no puse nada
¡no pongas gesto torvo si te pido por éste!

Te digo que era bueno, te digo que tenía
el corazón entero a flor de pecho, que era
suave de índole, franco como la luz del día,
–henchido de milagro como la Primavera.

Tú me replicas duro, que es de plegaria indigno
el que no untó de preces sus dos labios febriles
y se fue aquella tarde sin esperar tu signo
trizándose las sienes como vasos sutiles.

Pero yo, mi Señor, te arguyo que he tocado,
de la misma manera que el nardo de su frente
todo su corazón dulce y atribulado
¡y tenía la seda del capullo naciente!

¿Qué fue cruel? Olvidas, Señor, que lo quería
y que él sabía suya la entraña que llagaba.
¿Qué enturbió para siempre mis linfas de alegría?
¡No importa! Tú comprendes: yo le amaba, le amaba.

Y amor –bien sabes de eso– es amargo ejercicio:
un mantener los párpados de lágrimas mojados,
un refrescar de besos las trenzas del cilicio,
conservando bajo ellas los ojos extasiados...

El hierro que taladra tiene un gustoso frío
cuando abre, cual gavillas, las carnes amorosas

y la cruz –Tú te acuerdas, oh Rey de los Judíos–
se lleva con blandura como un gajo de rosas.

Aquí me estoy, Señor, con la cara caída
sobre el polvo, parlándote un crepúsculo entero
o todos los crepúsculos a que alcance la vida,
si tardas en decirme la palabra que espero.

Fatigaré tu oído de preces y sollozos,
lamiendo, lebrel tímido, los bordes de tu mano,
y ni pueden herirme tus ojos amorosos
ni esquivar tu pie el riego caliente de mi llanto.

Di el perdón, dilo al fin. Va a esparcir en el viento
tu palabra, el perfume de cien pomos de olores
al vaciarse, toda agua será deslumbramiento:
el yermo echará flor y el guijarro esplendores.

Se mojaron los ojos oscuros de las fieras
y comprendiendo el monte que de piedra forjaste,
–llorará por los párpados blancos de sus neveras...–
¡Toda la tierra tuya sabrá que perdonaste!

## LA CANCIÓN DESESPERADA

Pablo NERUDA
(Chileno, 1904-1973)

Emerge tu recuerdo de la noche en que estoy.
El río anuda al mar su lamento obstinado.

Abandonado como los muelles en el alba.
Es la hora de partir, ¡oh abandonado!

Sobre mi corazón llueven frías corolas.
¡Oh, sentina de escombros, feroz cueva de náufragos!

En ti se acumularon las guerras y los vuelos.
De ti alzaron las alas los pájaros del canto.

Todo te lo tragaste, como la lejanía.
Como el mar, como el tiempo. ¡Todo en ti fue
[naufragio!

Era la alegre hora del asalto y el beso.
La hora del estupor que ardía como un faro.

Ansiedad de piloto, furia de buzo ciego,
turbia embriaguez de amor, ¡todo en ti fue naufragio!

En la infancia de niebla, mi alma alada y herida.
Descubridor perdido, ¡todo en ti fue naufragio!

Hice retroceder la muralla de sombra,
anduve más allá del deseo y del acto.

¡Oh, carne, carne mía, mujer que amé y perdí,
a ti en esta hora húmeda evoco y hago canto!

Como un vaso albergaste la infinita ternura,
y el infinito olvido te trizó como a un vaso.

Era la negra, negra soledad de las islas,
y allí, mujer de amor, me acogieron tus brazos.

Era la sed y el hambre, y tú fuiste la fruta.
Era el duelo y las ruinas, y tú fuiste el milagro.

¡Ah, mujer, no se cómo pudiste contenerme
en la tierra de tu alma y en la cruz de tus brazos!

Mi deseo de ti fue el más terrible y corto,
el más revuelto y ebrio, el más tirante y ávido.

Cementerio de besos, aún hay fuego en tus tumbas,
aún los racimos arden picoteados de pájaros.

¡Oh la boca mordida, oh los besados miembros,
oh los hambrientos dientes, oh los cuerpos trenzados!

¡Oh la cópula loca de esperanza y esfuerzo
en que nos anudamos y nos desesperamos!

Y la ternura, leve como el agua y la harina.
Y la palabra, apenas comenzada en los labios.

Ese fue mi destino y en él viajó mi anhelo,
y en él cayó mi anhelo, ¡todo en ti fue naufragio!

¡Oh, sentina de escombros, en ti todo caía,
qué dolor no exprimiste, qué olas no te ahogaron!

De tumbo en tumbo aún llamaste y cantaste.
De pie como un marino en la proa de un barco.

Aún floreciste en cantos, aún rompiste en corrientes.
¡Oh, sentina de escombros, pozo abierto y amargo!

Pálido buzo ciego, desventurado hondero,
descubridor perdido, ¡todo en ti fue naufragio!

Es la hora de partir, la dura y fría hora
que la noche sujeta a todo horario.

El cinturón ruidoso del mar ciñe la costa.
Surgen frías estrellas, emigran negros pájaros.

Abandonado como los muelles en el alba.
Sólo la sombra trémula se retuerce en mis manos.

Ah más allá de todo. Ah más allá de todo.
Es la hora de partir. ¡Oh abandonado!


# POEMA 20

Pablo NERUDA

Puedo escribir los versos mas tristes esta noche.
Escribir, por ejemplo: "La noche está estrellada,
y tiritan, azules, los astros, a lo lejos".
El viento de la noche gira en el cielo y canta.
Puedo escribir los versos más tristes esta noche.
Yo la quise, y a veces ella también me quiso.
En las noches como ésta la tuve entre mis brazos.
La besé tantas veces bajo el cielo infinito.
Ella me quiso, a veces yo también la quería;
cómo no haber amado sus grandes ojos fijos.

Puedo escribir los versos más tristes esta noche.
Pensar que no la tengo. Sentir que la he perdido.
Oír la noche inmensa, más inmensa sin ella,
y el verso cae al alma como al pasto el rocío.
Qué importa que mi amor no pudiera guardarla;
la noche está estrellada, y ella no está conmigo.
Eso es todo. A lo lejos alguien canta. A lo lejos.
Mi alma no se contenta con haberla perdido.
Como para acercarla mi mirada la busca.
Mi corazón la busca, y ella no está conmigo.
La misma noche que hace blanquear los mismos árboles,
nosotros, los de entonces, ya no somos los mismos.
Ya no la quiero, es cierto; pero cuánto la quise.
Mi voz buscaba el viento para tocar su oído.
De otro. Será de otro. Como antes de mis besos.
Su voz, su cuerpo claro, sus ojos infinitos.
Ya no la quiero, es cierto; pero tal vez la quiero;
es tan corto el amor, y es tan largo el olvido.
Porque en las noches como ésta la tuve entre mis brazos,
mi alma no se contenta con haberla perdido.
Aunque éste sea el último dolor que ella me causa,
y éstos sean los últimos versos que yo le escribo.

# EL DÍA QUE ME QUIERAS

Amado NERVO
(Mexicano, 1870-1919)

Y el día que me quieras tendrá más luz que junio;
la noche que me quieras será de plenilunio.
Con notas de Beethoven gimiendo en cada rayo

sus inefables cosas...,
y habrá juntas más rosas
¡que en todo el mes de mayo!...

Mil fuentes cristalinas
irán por las laderas
saltando cantarinas
¡el día que me quieras!

El día que me quieras, los sotos escondidos
resonarán de cantos nunca jamás oídos.
Éxtasis de tus ojos, todas las primaveras
que hubo y habrá en el mundo serán cuando me
[quieras.

¡Cogidas de las manos, cual rubias hermanitas
luciendo golas cándidas, irán las margaritas
por montes y praderas,
delante de tus pasos, el día que me quieras!...
Y si deshojas una, te dirá su inocente
postrer pétalo blanco: ¡Apasionadamente!...

Al reventar el alba del día que me quieras...
tendrán todos los tréboles cuatro hojas agoreras,
y en cada estanque, nido de gérmenes ignotos,
florecerán las místicas corolas de los lotos;

¡El día que me quieras será cada celaje
ala maravillosa, cada arrebol miraje
de las Mil y una noches, cada brisa un cantar,
cada árbol una lira, cada monte un altar!...
¡El día que me quieras, para nosotros dos
cabrá en un solo beso la beatitud de Dios!...

# EN PAZ

Amado NERVO

Muy cerca de mi ocaso, yo te bendigo, Vida,
porque nunca me diste ni esperanza fallida
ni trabajos injustos, ni pena inmerecida.

porque veo, al final de mi rudo camino,
que yo fui el arquitecto de mi propio destino;

que si extraje las mieles o la hiel de las cosas,
fue porque en ellas puse hiel o mieles sabrosas;
cuando planté rosales, coseché siempre rosas.

...Cierto, a mis lozanías va a seguir el invierno;
¡mas tú no me dijiste que mayo fuese eterno!

Hallé sin duda largas las noches de mis penas;
mas no me prometiste tú solo noches buenas,
y en cambio tuve algunas santamente serenas...

Amé, fui amado, el sol acarició mi faz.
¡Vida, nada me debes! ¡Vida, estamos en paz!

# GRATIA PLENA

Amado NERVO

Todo en ella encantaba, todo en ella atraía:
su mirada, su gesto, su sonrisa, su andar...
El ingenio de Francia de su boca fluía.
Era llena de gracia, como el Avemaría:
¡quien la vio no la pudo ya jamás olvidar!...

Ingenua como el agua, diáfana como el día,
rubia y nevada como Margarita sin par,
al influjo de su alma celeste amanecía.
Era llena de gracia, como el Avemaría:
¡quien la vio no la pudo ya jamás olvidar!...

Cierta dulce y amable dignidad la investía
de no sé qué prestigio lejano y singular,
más que muchas princesas, princesa parecía.
Era llena de gracia, como el Avemaría:
¡quien la vio no la pudo ya jamás olvidar!...

Yo gocé el privilegio de encontrarla en mi vía
dolorosa; por ella tuvo fin mi anhelar
y cadencias arcanas halló mi poesía.
Era llena de gracia, como el Avemaría:
¡quien la vio no la pudo ya jamás olvidar!...

¡Cuánto, cuánto la quise!... Por diez años fue mía,
pero flores tan bellas nunca pueden durar...
Era llena de gracia, como el Avemaría,
y a la fuente de gracia, de donde procedía,
se volvió... como gota que se vuelve a la mar...

# ROMANCE DEL ACABOSE

José Antonio OCHAITA
(Español)

Aquello puede acabarse
del modo que te convenga.

Yo te prometo colgarme
en el pescuezo una piedra
y echarme de noche al río
sin que tú misma lo sepas.

Yo estoy dispuesto a cargar
con la pólvora más negra
un cachorrillo de hierro
y que las sienes me muerda.

Yo buscaré un escorpión
de uña retorcida y negra
y dejaré que en mi pecho
toda su ponzoña vierta.

Esto se puede acabar
del modo que te convenga,
esta tarde o esta noche
o después, cuando amanezca.

Sólo con que tú me digas:
"Se acabó la historia aquélla."
Pero lo que no podrás
es que acabemos a medias.

Que en amistad trastoquemos
lo que fue pasión deshecha;
que tú vayas por la calle,
y yo por la calle venga,
y nos digamos "¡Adiós!"
como amigos que se encuentran.

Que tú digas: "¡Aquel tiempo!",
que yo diga: "¡Aquella fecha!",
y que los besos sorbidos
boca a boca, vena a vena,
no se nos pongan de pie
como claras bayonetas
y nos claven por cobardes
sobre la cruz de las piedras.

Amantes fuimos los dos,
que amarse no da vergüenza;
comimos el mismo pan,
pisamos la misma hierba,
y las paredes calladas
huelen, al que oler sepa,
a vida que hicimos juntos
llevando la misma senda.

Amantes fuimos los dos:
el fuego, tú; yo, la yesca;
tú, la soga; yo, el caldero;
tú, el aire; yo, la veleta;
Años enteros unidos
en una misma cadena
de sobresaltos y besos,
de conciencia y de inconciencia,

de quietud y de inquietud.
¡Ay, Dios, que si lo barruntan!
¡Ay, Dios, que si lo comentan!
¡Ay, que si me ven contigo!
¡Ay, que contigo me vean!

Besos entre sobresaltos;
entre amarguras, promesas.
Saber engañar a todos
y tener la verdad nuestra:
de estar por dentro casados
en una alianza secreta.
Casado estuve contigo;
arras fueron las estrellas,
y en el libro de la vida
quedó por siempre una fecha:
que era junio y era un día
que olía a cosas eternas.
Amantes fuimos los dos,
que amantes no da vergüenza.
Amantes fuimos de llanto,
amantes de complacencia,
amantes porque te di
todo lo que tú me dieras.
La vida tuya fue mía;
la mía, tú te la llevas.

Hasta ayer. Ayer me dices
claramente, por las buenas,
que nos conviene acabar
con aquella historia. ¡Aquélla!
Eso no nace de nuevo,
no la improvisas a ciegas;

eso, razón razonada,
"agua que viene de alberca
no se detiene ante nada".
¿Que vamos a acabar? Bueno;
como mejor te convenga.
Y estoy dispuesto a colgarme
en el pescuezo una piedra
y echarme de noche al río
sin que tú misma lo sepas.

¿Tú qué harás? ¿Entrarte a monja?
¿Beber solimán a ciegas?
¿Ponerte un ascua en las sienes
porque derritan su cera?
Sólo así podrá acabar
pasión que fue tan entera.
¿Pues otra cosa creías?
¿Pues otra cosa alimentas?
¿Qué amor se puede cambiar
en amistad sin ojeras?
¿Qué amantes y amigos son
como dos varas gemelas,
y que se corta la una
cuando la otra se seca?

¿Qué quien te tuvo en sus brazos
y saboreó tu lengua,
y hundió contigo la almohada,
junto a tu misma cabeza,
puede ser el amigo ese
que, cuando se le tropieza,

se le dice: "¡Adiós, amigo!",
y se sigue la vereda?

Pero ¿quién te ha trastornado,
quién te ha dado esa ceguera?
El amor, cuando es amor,
sólo tiene dos certezas:
el odio, verdad de sangre;
la muerte, certeza negra.
¿Qué vamos a acabar? Bueno;
como mejor te convenga.
Pero ¿amigos? ¡Nunca! ¡Nunca!
Te estoy deseando muerta,
me estoy deseando muerto,
pero sin amor a medias.

Si tú quieres, llámame;
yo te llamaré si esperas.
¡Hazme el nudo corredizo;
eche yo el nudo a tu cuerpo,
acabemos esta vida
que por tanto amor te pesa!

# CUANDO ME VES ASÍ

José PEDRONI
(Argentino, 1899-1968)

Cuando me veas
así, con esos ojos
que te miran sin

143

verte, es que a través
de ti miro mi sueño
sin dejar de quererte.

Porque en tu suave
transparencia tengo
un milagroso tul,
con el cual, para
dicha de mis ojos,
todo lo veo azul.

## 6 (de "Este sabor de lágrimas")

Julia PRILUTZKY FARNY
(Argentina)

Para el amor buscado o el perdido,
para el amor huido o el hallado,
ten la ternura fuerte del osado,
ten la dulce fiereza del caído.

Para el amor invicto o el vencido,
para aquél evadido o retomado,
ten la ausente presencia del llegado
y el silencioso grito del partido.

Así has de estar: tendido y encerrado
—cobarde piel y sangre decidida—,
del mismo modo oculto y entregado,

al mismo tiempo el dardo que la herida.
Y este juego de amor, tan bien jugado,
te llevará las horas. Y la vida.


# IX (de "Viaje sin partida")

Julia PRILUTZKY FARNY

Un día te querré... Un día: ¿cuándo?
No lo sé, ni me importa, todavía.
Tan segura de amarte estoy, un día,
que ni anhelo ni busco: voy andando.

Mi mano que la espera va ahuecando
hoy reposa indolente, blanda y fría.
Un día te querrá... Hoy sólo ansía
encerrarse en la tuya, descansando.

Mi amor sabe aguardar. No es impaciente:
su deseo es arroyo, y no torrente
que hacia ti, con certeza, sigue andando.

Y una tarde cualquiera y diferente
me ha de dar a tu amor. serenamente.
Un día te amaré: ¿qué importa cuándo?

# 11 (de "No es el amor")

Julia PRILUTZKY FARNY

Como decir de pronto:
tómame entre las manos,
no me dejes caer. Te necesito:
acepta este milagro.
Tenemos que aprender a no asombrarnos
de habernos encontrado,
de que la vida pueda estar de pronto
en el silencio o la mirada.
Tenemos que aprender a ser felices,
a no extrañarnos
de tener algo nuestro.
Tenemos que aprender a no temernos
y a no asustarnos
y a estar seguros.
Y a no causarnos daño.

# DEFINICIÓN DEL AMOR

Francisco de QUEVEDO y VILLEGAS
(Español, 1580-1645)

Es hielo abrasador, es fuego helado,
es herida que duele y no se siente,
es un soñado bien, un mal presente,
es un breve descanso muy cansado.

Es un descuido que nos da cuidado,
un cobarde, con nombre de valiente,
un andar solitario entre la gente,
un amar solamente ser amado.

Es una libertad encarcelada,
que dura hasta el postrero paroxismo;
enfermedad que crece si es curada.

Este es el niño Amor, éste es su abismo.
¡Mirad cuál amistad tendrá con nada
el que en todo es contrario de sí mismo!

# AMOR CONSTANTE MÁS ALLÁ
## DE LA MUERTE

Francisco de QUEVEDO y VILLEGAS

Cerrar podrá mis ojos la postrera
sombra que me llevare el blanco día,
y podrá desatar esta alma mía
hora, a su afán ansioso lisonjera;

Mas no de esotra parte en la ribera
dejará la memoria, en donde ardía:
Nadar sabe mi llama el agua fría,
y perder el respeto a ley severa.

Alma, a quien todo un Dios prisión ha sido,
venas, que humor a tanto fuego han dado,
médulas, que han gloriosamente ardido.

Su cuerpo dejará, no su cuidado;
serán ceniza, mas tendrá sentido;
polvo serán, más polvo enamorado.

# EL SEMINARISTA DE LOS OJOS NEGROS

Miguel RAMOS CARRIÓN
(Español, ¿1851?-1915)

Desde la ventana de un casucho viejo,
abierto en verano, cerrado en invierno
por vidrios verdosos y plomos espesos,
una salmantina de rubio cabello
y ojos que parecen pedazos de cielo,
mientras la costura mezcla con el rezo,
ve todas las tardes pasar en silencio
los seminaristas que van de paseo.

Baja la cabeza, sin erguir el cuerpo,
marchan en dos filas pausados y austeros,
sin más nota alegre sobre el traje negro
que la beca roja que ciñe su cuello
y que por la espalda casi roza el suelo.

Un seminarista, entre todos ellos,
marcha siempre erguido, con aire resuelto.
La negra sotana dibuja su cuerpo
gallardo y airoso, flexible y esbelto.

Él solo, a hurtadillas y con el recelo
de que sus miradas observen los clérigos,
desde que en la calle vislumbra a lo lejos
a la salmantina de rubio cabello
la mira muy fijo, con mirar intenso.
Y siempre que pasa le deja el recuerdo
de aquella mirada de sus ojos negros.

Monótono y tardo va pasando el tiempo,
y muere el estío y el otoño luego,
y vienen las tardes plomizas de invierno.
Desde la ventana del casucho viejo,
siempre sola y triste, rezando y cosiendo,
una salmantina de rubio cabello
ve todas las tardes pasar en silencio
los seminaristas que van de paseo.
Pero no ve a todos; ve sólo a uno de ellos,
su seminarista de los ojos negros.

Cada vez que pasa, gallardo y esbelto,
observa la niña que pide aquel cuerpo
marciales arreos.
Cuando en ella fija sus ojos abiertos
con vivas y audaces miradas de fuego,
parece decirle: "¡Te quiero..., te quiero!...
¡Yo no he de ser cura, yo no puedo serlo!...
¡Si yo no soy tuyo, me muero, me muero!..."

A la niña entonces se le oprime el pecho,
la labor suspende y olvida los rezos,
y ya vive sólo en su pensamiento
el seminarista de los ojos negros.

En una lluviosa mañana de invierno
la niña que alegre saltaba del lecho
oyó tristes cánticos y fúnebres rezos:
por la angosta calle pasaba un entierro.
Un seminarista, sin duda, era el muerto,
pues cuatro llevaban en hombros el féretro
con la beca roja encima cubierto,
y sobre la beca el bonete negro.
Con sus voces roncas cantaban los clérigos;
los seminaristas iban en silencio,
siempre en dos filas, hacia el cementerio,
como por las tardes al ir de paseo.
La niña, angustiada miraba el cortejo:
los conoce a todos a fuerza de verlos.
Sólo, sólo faltaba entre ellos
¡el seminarista de los ojos negros!...

Corrieron los años, pasó mucho tiempo...
y allí en la ventana del casucho viejo
una pobre anciana de blancos cabellos,
con la tez rugosa y encorvado el cuerpo,
mientras la costura mezcla con el rezo,
recuerda muy triste, las tardes de antaño,
¡al seminarista de los ojos negros!...

# RAZÓN DE AMOR

Pedro SALINAS
(Español, 1892-1951)

¿Serás, amor,
un largo adiós que no se acaba?
Vivir, desde el principio, es separarse.
En el primer encuentro
con la luz, con los labios,
el corazón percibe la congoja
de tener que estar ciego y sólo un día.
Amor es el retraso milagroso
de su término mismo:
es prolongar el hecho mágico
de que uno y uno sean dos, en contra
de la primera condena de la vida.
Con los besos,
con la pena y el pecho se conquistan,
en afanosas lides, entre gozos
parecidos a juegos,
días, tierras, espacios fabulosos,
a la gran disyunción que está esperando,
hermana de la muerte o muerte misma.
Cada beso perfecto aparta el tiempo,
le echa hacia atrás, ensancha el mundo breve
donde puede besarse todavía.
Ni en el llegar, ni en el hallazgo
tiene el amor su cima:
es en la resistencia a separarse
en dónde se le siente,

desnudo, altísimo, temblando.
Y la separación no es el momento
cuando brazos, o voces,
se despiden con señas materiales:
es de antes, de después.
Si se estrechan las manos, si se abraza,
nunca es para apartarse,
es porque el alma ciegamente siente
que la forma posible de estar juntos
es una despedida larga, clara.
Y que lo más seguro es el adiós.

A esa, a la que yo quiero,
no es a la que se da rindiéndose,
a la que se entrega cayendo,
de fatiga, de peso muerto,
como el agua por ley de lluvia,
hacia abajo, presa segura
de la tumba vaga del suelo.
A esa, a la que yo quiero
es a la que se entrega venciendo,
venciéndose,
desde su libertad saltando
por el ímpetu de la gana,
de la gana de amor, surtida,
surtidor o garza volante,
o disparada –la saeta–
sobre su pena victoriosa,
hacia arriba, ganando el cielo.

¡Cómo me dejas que te piense!
Pensar en ti no lo hago solo, yo.
Pensar en ti es tenerte,

como el desnudo cuerpo ante los besos,
toda ante mí, entregada.
Siento cómo te das a mi memoria,
cómo te rindes al pensar ardiente,
tu gran consentimiento en la distancia.
Y más que consentir, más que entregarte,
me ayudas, vienes hasta mí, me enseñas
recuerdos en escorzo, me haces señas
con las delicias, vivas, del pasado,
invitándome.
Me dices desde allá
que hagamos lo que quiero
–unirnos– al pensarte.
Y entramos por el beso que me abres,
y pensamos en ti, los dos, yo solo.

Dame, tu libertad.
No quiero tu fatiga,
no, ni tus hojas secas,
tu sueño, ojos cerrados.
Ven a mí desde ti,
no desde tu cansancio
de ti. Quiero sentirla.
Tu libertad me trae,
igual que un viento universal,
un olor de maderas
remotas de tus muebles,
una bandada de visiones
que tú veías
cuando en el colmo de tu libertad
cerrabas ya los ojos.
¡Qué hermosa tú libre y en pie!

Si tú me das tu libertad me das tus años
blancos, limpios, agudos como dientes,
me das el tiempo en que tú la gozabas.

Quiero sentirla como siente el agua
del puerto, pensativa,
en las quillas inmóviles
el alta mar, la turbulencia sacra.
Sentirla,
vuelo parado,
igual que en sosegado soto
siente la rama
donde el ave se posa,
el ardor de volar, la lucha terca
contra las dimensiones en azul.

Descánsala hoy en mí: la gozaré
con un temblor de hoja en que se paran
gotas del cielo al suelo.
La quiero
para soltarla, solamente.
No tengo cárcel para ti en mi ser.
Tu libertad te aguarda para mí.
La soltaré otra vez, y por el cielo,
por el mar, por el tiempo,
veré cómo se marcha hacia su sino.
Si su sino soy yo, te está esperando.

# SI ME AMAS

SAN AGUSTÍN
(Numidia, África, 354-430)

No llores si me amas...
Si conocieras el don de Dios
y lo que es el cielo...
Si pudieras oír el
cántico de los ángeles
y verme en medio de ellos...
Si pudieras ver desarrollarse ante tus ojos
los horizontes, los campos y los nuevos
senderos que atravieso...
Si por un instante pudieras contemplar como yo
la belleza ante la cual las bellezas palidecen...
¡Cómo!... ¿Tú me has visto, me has amado
en el país de las sombras
y no te resignas a verme y amarme
en el país de las inmutables realidades?
Créeme. Cuando la muerte venga
a romper tus ligaduras
como ha roto las que a mí me encadenaban;
cuando llegue el día que Dios ha fijado y conoce,
y tu alma venga a este cielo
en el que te ha precedido la mía...
Ese día volverás a verme.
Sentirás que te sigo amando, que te amé,
y encontrarás mi corazón
con todas sus ternuras purificadas.
Volverás a verme en transfiguración, en éxtasis feliz.

Ya no esperando la muerte,
sino avanzando contigo,
que te llevaré de la mano por los senderos
nuevos de luz y de vida.
Enjuga tu llanto y no llores si me amas.

# NOCTURNO

José Asunción SILVA
(Colombiano, 1865-1896)

### III

Una noche
una noche toda llena de murmullos, de perfumes y de música
[de alas,
una noche
en que ardían en la sombra nupcial y húmeda las luciérnagas
[fantásticas,
a mi lado, lentamente, contra mi ceñida toda, muda, y pálida,
como si un presentimiento de amarguras infinitas
hasta el más secreto fondo de las fibras te agitara,
por la senda florecida que atraviesa la llanura
caminabas;
y la luna llena,
por los cielos azulosos, infinitos y profundos esparcía su
[luz blanca;
y tu sombra,
fina y lánguida,
y mi sombra,

por los rayos de la luna proyectadas,
sobre las arenas tristes
de la senda se juntaban,
y eran una,
y eran una,
y eran una sola sombra larga...
y eran una sola sombra larga...
y eran una sola sombra larga...
Esta noche,
solo; el alma
llena de infinitas amarguras y agonías de tu muerte,
separado de ti misma por el tiempo, por la tumba y la
[distancia,
por el infinito negro
donde nuestra voz no alcanza;
mudo y solo,
por la senda caminaba...
Y se oían los ladridos de los perros a la luna,
a la luna pálida,
y el chirrido
de las ranas...
Sentí frío. Era el frío que tenían en tu alcoba
tus mejillas, y tus sienes, y tus manos adoradas,
entre las blancuras níveas
de las mortuorias sábanas.
Era el frío del sepulcro, era el hielo de la muerte,
era el frío de la nada.
Y mi sombra,
por los rayos de la luna proyectada,
iba sola,
iba sola,
iba sola por la estepa solitaria;
y tu sombra, esbelta y ágil,

fina y lánguida,
como en esa noche de la muerte primavera,
    como en esa noche llena de murmullos, de perfumes y de
                                        [música de alas,
se acercó y marchó con ella,
se acercó y marchó con ella,
se acercó y marcho con ella... ¡Oh las sombras enlazadas!...
¡Oh las sombras de los cuerpos que se juntan con las sombras
                                        [de las almas!
Oh las sombras que se buscan en las noches de tristezas y de
                                        [lágrimas!...


# ACASO

Alfonsina STORNI
(Suizo-Argentina, 1892-1938)

Andas por esos mundos como yo... no me digas
que no existes. Existes: nos hemos de encontrar;
no nos conoceremos. Disfrazados y torpes
por los mismos caminos echaremos a andar.

No nos conoceremos... distantes uno de otro.
Sentirás mis suspiros y te oiré suspirar...
¿Dónde está la boca, la boca que suspira?
Diremos el camino volviendo a desandar.

Quizás nos encontremos frente a frente algún día;
quizá nuestros disfraces nos logremos quitar...
Y ahora me pregunto: –cuando ocurra, si ocurre,
¿Sabrás tú de suspiros? ¿sabré yo suspirar?

# EL ENGAÑO

Alfonsina STORNI

Soy tuya, Dios lo sabe porqué, ya que comprendo
que habrás de abandonarme, fríamente mañana,
y que, bajo el encanto de mis ojos, te gana
otro encanto el deseo, pero no me defiendo.

Espero que esto un día cualquiera se concluya,
pues intuyo, al instante, lo que piensas o quieres.
Con voz indiferente te hablo de otras mujeres
y hasta ensayo el elogio de alguna que fue tuya.

Pero tú sabes menos que yo, y algo orgulloso
de que te pertenezca, en tu juego engañoso
persistes, con aire de actor del papel dueño.

Yo te miro callada como mi dulce sonrisa,
y cuando te entusiasmas, pienso: no te des prisa,
no eres tú el que me engaña; quien me engaña es mi sueño.

# LA CARICIA PERDIDA

Alfonsina STORNI

Se me va de los dedos la caricia sin causa,
se me va de los dedos... En el viento, al pasar,

la caricia que vaga sin destino ni objeto,
la caricia perdida ¿quién la recogerá?

Pude amar esta noche con piedad infinita,
pude amar al primero que acertara a llegar.
Nadie llega. Están solos los floridos senderos.
La caricia perdida, rodará... rodará...

Si en los ojos te besan esta noche, viajero,
si estremece las ramas un dulce suspirar,
si te oprime los dedos una mano pequeña
que te toma y te deja, que te logra y se va...

Si no ves esa mano, ni esa boca que besa,
si es el aire quien teje la ilusión de besar,
oh viajero, que tienes como el cielo los ojos,
en el viento fundida, ¿me reconocerás?


# EL BESO

Manuel UGARTE
(Argentino, 1878-1951)

A veces nuestros labios, como locas
mariposas de amor, se perseguían;
los tuyos de los míos siempre huían,
y siempre se juntaban nuestras bocas.

Los míos murmuraban: Me provocas;
los tuyos: Me amedrentas, respondían,

y aunque siempre a la fuga se atenían,
las veces que fugaron fueron pocas.

Recuerdo que, una tarde, la querella
en el jardín llevando hasta el exceso,
quisiste huir, mas, por mi buena estrella,

en una rosa el faldellín fue preso
y que, después, besé la rosa aquella
por haberme ayudado a darte un beso.

## AMOR PROHIBIDO

César VALLEJO
(Peruano, 1892-1938)

Subes centelleante de labios y ojeras!
Por tus venas subo, como un can herido
que busca el refugio de blandas aceras

Amor, en el mundo tú eres un pecado!
Mi beso es la punta chispeante del cuerno
del diablo; mi beso que es credo sagrado!

Espíritu es el horópter que pasa
puro en su blasfemia!
El corazón que engendra al cerebro
que pasa hacia el tuyo, por mi barro triste.
Platónico estambre
que existe en el cáliz donde tu alma existe!

Algún penitente silencio siniestro?
Tú acaso lo escuchas? Inocente flor!
...Y saber que donde no hay un Padrenuestro,
el Amor es un Cristo pecador!


# PARA EL ALMA IMPOSIBLE
# DE MI AMADA

César VALLEJO

Amada: no has querido plasmarte jamás
como lo ha pensado mi divino amor.
Quédate en la hostia,
ciega e impalpable
como existe Dios.

Si he cantado mucho, he llorado más
por ti ¡oh mi parábola excelsa de amor!
Quédate en el seso
y en el mito inmenso
de mi corazón!

Es la fe, la fragua donde yo quemé
el terroso hierro de tanta mujer;
y en un yunque impío te quise pulir.
Quédate en la eterna
nebulosa, ahí
en la multicencia de un dulce noser.

Y si no has querido plasmarte jamás
en mi metafísica emoción de amor,
deja que me azote
como un pecador.

## CASI TODAS LAS VECES

Idea VILARIÑO
(Uruguaya)

Conozco la ternura
como la misma palma de mi mano.
A veces entre sueños la recuerdo
como si ya la hubiese perdido alguna vez.
Casi todas las noches
casi todas las veces que me duermo
en ese mismo instante
tú con tu grave abrazo me confinas
me rodeas
me envuelves en la tibia caverna de tu sueño
y apoyas mi cabeza sobre tu hombro.

# PRETEXTO

Domingo ZERPA
(Argentino)

Bajamos los dos al río
no bien lloviera en el cerro:
ella con cierto motivo,
yo sólo con un pretexto.

La muy donosa traía
entre sus brazos morenos
una tinaja en continua
carambola con sus pechos.

Yo, que después de la lluvia
soy primavera por dentro,
flores de cumbres y abismos
traía en mi pensamiento.

Los dos bajamos cantando
no sé qué motivo viejo,
y los dos nos entregamos
a la voz del arroyuelo.

Ella quebró su tinaja,
yo desvelé mi pretexto...
y desde entonces miramos
un mismo cielo por dentro.

# Índice

Se terminó de imprimir en Abril de 2004
en Talleres Gráficos EDIGRAF S.A.,
Delgado 834, Buenos Aires, Argentina